Valéry
images du Poète et de la Poésie

langues & styles

6

ION GHEORGHE

les images
du Poète et de la Poésie

dans l'œuvre de

Valéry

préface de
Huguette LAURENTI

LETTRES MODERNES
MINARD
73, rue du Cardinal-Lemoine - 75005 PARIS
1977

SIGLES ET ABRÉVIATIONS
conformes au système adopté pour la série *Paul Valéry*
de *La Revue des lettres modernes*

Dans les références des textes cités, la pagination (entre parenthèses) et les sigles renvoient à la répartition des œuvres telle que l'a procurée Jean HYTIER dans la « Bibliothèque de la Pléiade » :

I	*Œuvres.* I (Paris, Gallimard, 1975)	[Œ, I]
II	*Œuvres.* II (Paris, Gallimard, 1970)	[Œ, II]
C, I	*Cahiers* (tomes I à XXIX) (Paris, C.N.R.S., 1957—1962)	

À l'intérieur d'un même paragraphe les séries continues de références à un même texte sont allégées du sigle initial commun et réduites à la seule pagination; par ailleurs les références consécutives à une même page ne sont pas répétées à l'intérieur de ce paragraphe.

À l'intérieur des citations seuls les mots en PETITES CAPITALES sont soulignés par l'auteur de l'étude (le signe * devant un fragment de citation atteste l'italique ou les petites capitales de l'édition de référence).

Si, en tête d'un développement, la localisation d'ensemble d'un poème a été précisée, les citations seront identifiées par un renvoi entre crochets à la numérotation des vers sous la forme du poème retenu par l'édition de référence; ce même renvoi n'est pas répété pour les citations consécutives de ce même vers.

Toute reproduction ou reprographie
et tous autres droits réservés

IMPRIMÉ EN FRANCE
ISBN : 2-256-90786-4

préface

CET essai témoignerait, s'il en était besoin, de l'intérêt porté en Roumanie à la littérature française, et aux études valéryennes en particulier. Professeur à l'Université de Cluj-Nepoca, M. Ion Gheorghe s'est affirmé durant toute sa carrière comme un spécialiste des questions de poésie. Il nous livre ici l'une des orientations principales de sa recherche, à savoir l'analyse de l'aventure poétique et de la manière dont elle s'exprime sous la plume des poètes eux-mêmes.

Sa thèse de doctorat s'attachait à déceler chez les Romantiques et les Parnassiens toute une imagerie destinée à évoquer symboliquement le poète et la poésie. Cette étude l'a conduit à approfondir, au cours de divers articles, les problèmes de la création poétique et de sa représentation chez des auteurs aussi conscients de leur art que Baudelaire ou Valéry. Elle lui a permis aussi, à l'occasion, de relever quelques « rencontres » heureuses que peuvent créer, entre poètes de langues différentes — français et roumains par exemple — les jeux de la thématique et de l'expression imagée.

5

Présenter les idées de Paul Valéry sur le langage poétique — auxquelles M. Ion Gheorghe a d'ailleurs consacré lui-même un article, paru dans la Revue des sciences humaines *(juillet 1970) — ne serait pas une nouveauté. Mais les saisir au travers des images qui, dans le poème ou l'œuvre critique, ne cessent de représenter, par des effets thématiques ou musicaux, le processus de la « fabrication », est une tentative beaucoup plus originale. Elle présente l'avantage de se situer dans une ligne de réflexion toute proche de celle du poète lui-même. Et l'on perçoit vite combien une semblable étude, si elle est menée avec discernement, peut trouver appui dans les textes, dont elle fait par ailleurs ressortir la richesse linguistique : les réflexions de Paul Valéry sur l'exercice poétique apportent l'écho de la pensée lucide en réponse au langage métaphorique des poèmes, mais se peuplent à leur tour d'images expressives. C'est un autre mérite de la synthèse ainsi opérée, que de rendre pleinement évidents les liens étroits qui unissent les diverses activités valéryennes : la composition poétique, les écrits en prose, et la réflexion quotidienne des* Cahiers, *ferment de l'œuvre publiée.*

Une telle approche met également en lumière le processus par lequel Valéry exploite poétiquement des données et surtout un vocabulaire souvent empruntés à d'autres arts — musique, danse, architecture —, mais aussi au domaine des sciences physiques ou biologiques. Autant dans sa prose, où la valeur informative passe pourtant au premier plan, que dans le poème, il utilise ainsi le pouvoir suggestif d'une créativité d'ordre sémantique qui renouvelle la valeur d'un certain nombre de termes clés, et replace en même temps dans l'univers des formes et des signes des notions que leur emploi courant

en littérature avaient entourées d'un halo « poé-
tique », tout comme les grands mythes frelatés par
l'usage.

On mesure alors combien, située dans le discontinu
et la mouvance d'une dynamique moderne, l'image
valéryenne retrouve une efficacité perdue pour
mieux dire l'ambiguïté du partage essentiel et le
drame inhérent à tout poète, mais plus vivement,
plus intimement perçu par celui qui ose se regarder
créer.

Huguette LAURENTI

introduction

Une recherche antérieure sur les images dont les Romantiques et les Parnassiens se sont servis pour figurer l'acte, l'activité, la fonction et la condition du créateur de poèmes nous a persuadé que l'étude de telles images, offrant à la fois des traits du Poète archétypique ou des auto-portraits idéalisés, des manifestes littéraires et des échantillons d'œuvres personnelles, présentaient un intérêt certain pour l'esthétique et l'histoire de la poésie.

Appliquée en l'occurrence à l'œuvre de Valéry, cette recherche nous semble constituer une démarche privilégiée pour la connaissance de l'art poétique valéryen, étant donné que l'auteur d'*Amphion* et de « Propos sur la Poésie » a toujours incarné ses conceptions esthétiques, soit dans des mythes traditionnels, plus ou moins enrichis, soit, au début ou à la fin d'analyses théoriques du processus générateur de poésie, dans des analogies souvent inédites.

Les représentations figurées de la Poésie et du Poète dans les vers et la prose de Valéry une fois relevées, il est difficile de les grouper et les ordonner suivant un critère unique et une logique sans faille, tant elles sont diverses, hétérogènes, parfois imbriquées ou même contradictoires. Finalement on a adopté une espèce de compromis entre le critère du signifiant et celui du signifié et on les a réparties en sept catégories selon leur trait significatif dominant, et ces catégories ont été disposées dans

9

un ordre qui va des phénomènes optiques, acoustiques, biologiques, appartenant — tous — à un certain automatisme, jusqu'aux activités réfléchies les plus élaborées. En procédant de la sorte on ne se flatte pas, bien sûr, d'avoir éliminé la dose d'arbitraire inhérente à tout classement.

Comme notre propos est de présenter la poétique de Valéry telle qu'elle se dégage de ses représentations du travail poétique, on s'est généralement abstenu, dans l'analyse de ces représentations figurées, d'en commenter la beauté purement littéraire. À la poursuite des seules idées, et craignant de mêler la stylistique à la sémantique, on s'est borné, à regret, à retirer les noyaux abstraits des images valéryennes ; on a ainsi disséqué la pulpe des poèmes sans en consigner — mais non sans en percevoir — les parfums et les saveurs. Ce faisant, nous avons atténté parfois à la poésie de certaines images en les réduisant à des allégories. Il nous est même arrivé de commettre ce crime que Valéry abhorrait entre tous : la « transformation en prose » d'un poème. C'est un peu pour apaiser nos remords — et les mânes du poète — que nous avons par ailleurs si abondamment cité de son œuvre.

Tout en tenant compte, dans cette étude, du nombre et de la fréquence des images de chaque catégorie, nous avons jugé que les procédés statistiques y seraient inadéquats en raison de la disparité de ces images quant à leur volume et à leur charge de significations ou de poésie. Des symboles comme Narcisse, Orphée, l'Arbre, l'Orfèvre, la Danseuse, etc., tels qu'ils sont développés dans les textes de Valéry, ne sauraient constituer les unités égales d'un même nombre. Cependant l'index de ces images que nous donnons à la fin pourra toujours servir à des jeux statistiques.

1 reflet visuel
miroir, Narcisse,
transparence transfiguratrice,
éclairage

ON pourrait mettre en épigraphe aux trois premiers chapitres de cette recherche l'énoncé par Valéry d'une loi physique dans « Fragments des mémoires d'un poème » : « [...] *il faut bien*, pour que la lumière soit, *que la puissance vibrante se heurte à des corps d'où elle éclate.* » (I, 1482).

En assimilant ainsi la pensée à une force ondulatoire qui a besoin d'obstacles pour se manifester d'une manière éclatante, l'ami de Louis de Broglie renouvelle une banale métaphore de tout acte créateur d'art : la réflexion des rayons lumineux.

Cette image se trouve amplifiée et sublimée dans trois poèmes de Valéry : « *Narcisse parle* » (*Album des vers anciens*), « *Fragments du Narcisse* » (*Charmes*) et « *Cantate du Narcisse* » (*Mélange*).

Emblème de l'autocontemplation de l'esprit se considérant lui-même comme unique merveille digne de sa propre soif de connaître, d'admirer et d'aimer, le Narcisse valéryen peut en effet s'interpréter aussi comme symbole du Poète.

Se comparant au Soleil par sa splendeur sans égale, Narcisse se présente à celui-ci comme

11

> [...] un éternel retour
> Vers l'onde où son image offerte à son amour
> Propose à sa beauté toute sa connaissance :
> (« Cantate du Narcisse » ; I, 406)

La source et en même temps l'objet de toute connaissance et de tout amour, c'est donc le corps, le moi visible :

> Trouvez dans la fontaine un corps délicieux...
> (« Fragments du Narcisse » ; I, 124)

Première raison de ce... narcissisme : la beauté même du moi :

> Le plus beau des mortels ne peut chérir que soi...
> (« Fragments... » ; I, 128)

Seconde raison : ce moi concret, cette « forêt sensuelle », constitue notre seule réalité vivante, notre plus intime et immédiate certitude :

> [...] Et qui donc peut aimer autre chose
> Que soi-même ?...
> Toi seul, ô mon corps, mon cher corps,
> Je t'aime, unique objet qui me défends des morts !
> (« Fragments... » ; I, 129)

D'ailleurs l'œuvre entière de Valéry proclame à chaque page l'importance de l'organisme physique dans la production de la poésie, et l'identification du Poète à son propre système nerveux est pour l'auteur du « Narcisse » plus qu'une simple métaphore : « *Le plus grand poète possible — c'est le système nerveux.* [§] *L'inventeur du tout — mais plutôt le seul poète.* » (I, 335).

Dans le symbole du Narcisse l'instrument de la réflexion — physique, intellectuelle et esthétique — c'est la « fontaine », la « nymphe », l'« onde », « *l'eau magicienne* » (I, 82), « calme », « belle », « *froidement présente* » (126), « *douce aux purs animaux* », mais interdite aux « *troupeaux* » (123). À la fois conscience, mémoire et matrice, la fontaine garde sa limpide sérénité même après avoir reflété ou baigné

Astres, roses, saisons, les corps et leurs amours !
(« *Fragments...* » ; I, 126)

même après avoir recueilli

Tout un sombre trésor de fables et de feuilles,
L'oiseau mort, le fruit mûr, lentement descendus,
Et les rares lueurs des clairs anneaux perdus. (*ibid.*)

et, encore, certains humains,

Qui d'eux-mêmes tentés suivent au fond la mort.
(*ibid.*)

Comme un cerveau derrière sa paroi crânienne, la fontaine se laisse pénétrer par tout cela, en fait de la sagesse et de la lumière, qu'elle projette à l'extérieur :

Nourrit quelque sagesse à l'abri de sa roche,
À l'ombre de ce jour qu'elle peint sous les bois.
(*ibid.*)

Dans ces reflets, autant que dans le « double » du Narcisse, son « *semblable !... Et pourtant plus parfait que* [*lui*]-*même* » (I, 125), il est loisible de voir aussi bien l'œuvre de pensée que l'œuvre de poésie : « *Mon expérience m'a donc montré que le même* moi

[...] *se fait abstracteur ou poète, par des spécialisations successives* [...]. » (I, 1320).

Mais quelle signification allégorique attribuer au phénomène matériel de la fragilité de l'image, à la précarité de la contemplation ou à l'impossibilité d'un véritable échange entre l'être et son reflet ?... Déjà avant que la nuit ne se glisse entre eux comme une lame qui coupe en deux un fruit, le frôlement d'une feuille, d'une plume, d'un souffle ou d'une lèvre suffit à troubler le reflet et la contemplation. À l'instant où Narcisse tente d'embrasser son « *Délicieux démon désirable et glacé !* » (I, 125) — le miroir se brise, l'image s'évanouit.

Il n'est pas trop improbable que cela soit une allusion à la différence foncière qui existe entre le monde physique et l'univers « second » de l'esprit, de l'art et de la poésie. Cela pourrait donc signifier que vouloir appréhender le « reflet » par les mêmes moyens dont on se sert pour capter la réalité matérielle, c'est perdre le reflet, cette ombre plus précieuse, pour certains, que la réalité dont elle procède. Le poète est juste un de ceux qui lâchent la proie pour son ombre...

De même, en continuant de considérer le poème comme une allégorie, on peut s'interroger sur les intentions de l'auteur quand il introduit la lune dans son paysage :

Et la lune perfide élève son miroir
Jusque dans les secrets de la fontaine éteinte.
(« Narcisse parle... » ; I, 82)

deux vers auxquels s'en ajoutent deux autres dans « *Fragments du Narcisse* » :

Jusque dans les secrets que je crains de savoir,
Jusque dans le repli de l'amour de soi-même, (I, 123)

14

Serait-ce un simple prolongement de l'autoréflexion diurne par une introspection nocturne à l'aide du procédé pictural de « l'abîme », si cher à Gide romancier : le miroir de la lune au-dessus du miroir de la fontaine, se renvoyant l'un à l'autre, à l'infini, le même « amour de soi-même »... ?

Par contre, il n'y a pas lieu d'hésiter à voir dans une autre image, également tirée de la rencontre lumière-eau, une analogie explicite de l'art avec la transparence d'un écran liquide.

Dans les vers consacrés au Narcisse la matière de l'art était le « Beau Corps de Narcisse », « Idole de l'Onde », et ses émotions. Dans l'analogie dont il est maintenant question la matière à élaborer c'est *« l'affreux amas des viscères et des entrailles de tout le troupeau de Neptune que les pêcheurs avaient rejeté à la mer »* (I, 1088) et qui se présente à première vue comme des *« choses d'une rougeur écœurante, des masses d'un rose délicat ou d'une pourpre profonde et sinistre »*. Un regard plus proche et plus attentif y distingue d'*« ignobles trophées de glandes, d'où s'échappaient encore des fumées sanguinolentes, et de poches pâles et tremblantes retenues par je ne sais quels fils sous le glacis de l'eau si claire, cependant que l'onde infiniment lente berçait dans l'épaisseur limpide un frémissement d'or imperceptible sur toute cette boucherie »* (1089).

L'auteur insiste beaucoup sur les deux éléments contraires de la fascination qu'exerce sur lui ce charnier à la fois horrible et splendide, qu'il ne peut ni fuir ni supporter, car le dégoût est combattu en lui par la sensation d'une beauté singulière. *« L'œil aimait ce que l'âme abhorrait. Divisé entre la répugnance et l'intérêt, entre la fuite et l'analyse, je m'efforçai de songer à ce qu'un artiste d'Extrême-Orient, un homme ayant les talents et la curiosité d'un Hokusaï, par exemple, eût pu tirer de ce spectacle. »* (I, 1089).

Ce mélange de couleurs dans la gamme du corail et du sang lui rappelle non seulement les estampes japonaises mais aussi la littérature de la Grèce ancienne dont la *« mythologie, la poésie épique, la tragédie sont pleines de sang »* (I, 1089).

Les entrailles de poissons, vues à travers une couche d'eau de mer transparente, naturellement un peu glauque, légèrement irisante — *« frémissement d'or »* (I, 1089) —, légèrement berceuse, figurent évidemment les réalités brutales, crues ou horribles, qui, par l'action de l'art, se font poésie : *« [...] l'art est comparable à cette limpide et cristalline épaisseur à travers laquelle je voyais ces choses atroces : il nous fait des regards qui peuvent tout considérer ».*

Le bon Boileau ne pensait pas autrement :

Il n'est pas de serpent ni de monstre odieux,
Qui par l'art imité ne puisse plaire aux yeux.
(*L'Art poétique*, III, vv. 1-2)

L'art poétique assimilé à une question d'éclairage, c'est en termes d'optique mystique que Valéry présente — pour le rejeter — le mythe de l'Inspiration instantanée et exclusive créatrice de l'œuvre :

Plusieurs pensent qu'un certain ciel s'ouvre dans cet instant [*de la création*], et qu'il en tombe un rayon extraordinaire par quoi sont illuminées à la fois telles idées jusque-là libres l'une de l'autre, et comme s'ignorant entre elles ; et les voici unies à merveille, et d'un coup, et qui paraissent faites de toute éternité, l'une pour l'autre ; et ceci, sans préparation directe, sans travail, par cet effet heureux de lumière et de certitude...
(I, 1490)

La réaction de Valéry à cette conception de la genèse d'une œuvre poétique ne devrait plus « scandaliser » ceux qui le connaissent un peu : « [...] *j'aimerais mieux avoir composé une œuvre médiocre en toute lucidité qu'un chef-d'œuvre à éclairs, dans un état de transe...* » (I, 1481). Pourquoi ? — « *C'est qu'un éclair ne m'avance à rien. Il ne m'apporte que de quoi m'admirer. Je m'intéresse beaucoup plus à savoir produire à mon gré une infime étincelle qu'à attendre de projeter çà et là les éclats d'une foudre incertaine.* »

Il est à remarquer que le poète ne conteste pas l'existence de ces « éclairs » aléatoires, apparemment miraculeux, mais il les attribue au « *hasard mental* » (I, 1481).

Pourtant c'est à une fulguration qu'il compare l'éblouissement soudain produit par l'expression poétique : « *L'étincelle illumine un lieu qui semble infini au petit temps donné pour le voir. [...] [§] La merveille du choc ne peut se distinguer des objets qu'il révèle.* » (I, 395). Et d'ailleurs, toujours sous le coup de cet éclair, on prend pour des « *choses positives* », pour des « *meubles admirables* », les ombres puissantes « *qui paraissent dans l'instant* ».

Arrêtée là, l'image ne serait que l'illustration assez banale et péjorative d'un illusionnisme poétique hugolien, que Valéry a mise en vers dans la seizième strophe de « *La Pythie* », en lui opposant la lumière continue, étale, apollinienne :

Va, la lumière la divine
N'est pas l'épouvantable éclair
Qui nous devance et nous devine
Comme un songe cruel et clair !
Il éclate !... Il va nous instruire !...
Non !... La solitude vient luire
Dans la plaie immense des airs

Où nulle pâle architecture,
Mais la déchirante rupture
Nous imprime de purs déserts !   (I, 134)

Cependant, poussant plus profond l'analogie poésie—
lumière, Valéry découvre, dans ses observations en
prose, des similitudes essentielles entre la scintillation du microcosme des atomes où les phénomènes
sont modifiés par la « source éclairante » — et « Le
phénomène photo-poétique » (I, 395) :

> [...] par un grand bonheur pour la poésie, le *petit temps*
> dont j'ai parlé ne peut pas se dilater ; on ne peut pas
> substituer à l'étincelle une *lumière fixe entretenue.*
> *Celle-ci éclairerait tout autre chose.*
> [...]
> *Le petit temps* donne des lueurs d'un autre système
> ou « monde » *que ne peut éclairer une clarté durable.*
> [...] Peut-être est-ce le monde de la *connexion propre et*
> *libre* des ressources virtuelles de l'esprit ?   (I, 395)

En affirmant que le propre de la poésie est cet
étincellement infinitésimal, instantané et discontinu,
Valéry semble renier implicitement la préférence
manifestée dans « *La Pythie* ». Mais, de même que
la ligne est une suite de points, la lumière macro-
cosmique un bombardement de photons — du moins
selon la théorie corpusculaire —, la poésie la plus
uniment classique peut être conçue comme un
ensemble d'« infimes étincelles ».

Après avoir trouvé une image du phénomène
poétique dans la scintillation de l'infiniment petit,
Valéry en découvre une autre dans la grandeur d'un
ciel étoilé.

Il est vrai que cette dernière image concerne
nommément le poème de Mallarmé, *Un Coup de dés*
jamais n'abolira le hasard, dont la disposition typo-

graphique, le motif de la « constellation » et une promenade sous « *l'innombrable ciel de juillet* » (I, 625) avec l'auteur du poème, le soir même de l'après-midi où ils avaient regardé ensemble les épreuves du poème, toutes ces circonstances ont suggéré la « divine analogie ». Mais comme Mallarmé, le poète, qui ne voyait à l'univers d'autre destinée concevable que celle d'être finalement exprimé, représente pour Valéry le poète absolu, il est permis d'extrapoler à tout effort de poésie véritable ce qui est dit du *Coup de dés*.

L'admirable exposé du signifiant en train de devenir symbole peut remplacer avantageusement n'importe quelle glose. C'est pourquoi nous le citons *in extenso* :

Le soir du même jour comme il [*Mallarmé*] m'accompagnait au chemin de fer, l'innombrable ciel de juillet enfermant toutes choses dans un groupe étincelant d'autres mondes, et que nous marchions, fumeurs obscurs, au milieu du Serpent, du Cygne, de l'Aigle, de la Lyre, — il me semblait *maintenant*, d'être pris dans le texte même de l'univers silencieux : texte tout de clartés et d'énigmes ; aussi tragique, aussi indifférent qu'on le veut ; qui parle et qui ne parle pas ; tissu de sens multiples ; qui assemble l'ordre et le désordre ; qui proclame un Dieu aussi puissamment qu'il le nie ; qui contient, dans son ensemble inimaginable, toutes les époques, chacune associée à l'éloignement d'un corps céleste ; qui rappelle le plus décisif, le plus évident et incontestable succès des hommes, l'accomplissement de leurs prévisions, — jusqu'à la septième décimale ; et qui écrase cet animal témoin, ce contemplateur sagace, sous l'inutilité de ce triomphe... Nous marchions. Au creux d'une telle nuit, entre les propos que nous échangions, je songeais à la tentative merveilleuse : quel modèle, quel enseignement là-haut ! Où Kant, assez naïvement peut-être, avait cru voir la Loi Morale, Mallarmé percevait sans doute l'Impératif d'une poésie : une Poétique.

Cette dispersion radieuse ; ces buissons pâles et ardents ; ces semences presque spirituelles, distinctes et simultanées ; l'immense interrogation qui se propose par ce silence chargé de tant de vie et de tant de mort ; tout cela, gloire par soi-même, total étrange de réalité et d'idéaux contradictoires, ne devait-il pas suggérer à quelqu'un la suprême tentation d'en *reproduire l'effet !*

— Il a essayé, pensai-je, *d'élever enfin une page à la puissance du ciel étoilé !*   (I, 625-6)

C'est vers la même puissance que semblent tendre aussi bien ces réflexions de Valéry que les strophes de son « *Ode secrète* » qui chantent le triomphe vespéral du Poète — danseur et lutteur — au front perlé — l'auteur écrit « *semé* » (I, 152) — de gouttes de sueur où viennent se réfléchir des « *étincelles d'été* ». La victoire de cet Hercule, « *touché par le Crépuscule* », se répercute « jusqu'aux étoiles », tout à fait comme « le geste auguste » du fameux semeur hugolien, « au moment crépusculaire » :

> Dormez, sous les pas sidéraux,
> Vainqueur lentement désuni,
> Car l'Hydre inhérente au héros
> S'est éployée à l'infini...   (I, 152)

Du même coup que la victoire remportée sur son monstre « inhérent », les autres exploits du héros se voient glorieusement retracés par les constellations à travers l'espace cosmique :

> Ô quel Taureau, quel Chien, quelle Ourse,
> Quels objets de victoire énorme,
> Quand elle entre aux temps sans ressource
> L'âme impose à l'espace informe !

Fin suprême, étincellement
Qui, par les monstres et les dieux,
Proclame universellement
Les grands actes qui sont aux Cieux.   (I, 152)

En sorte que, finalement, on ne sait plus si le ciel étoilé est une figure du Poème ou bien le Poème une figure du ciel.

2 | reflet sonore
bruissement, chant, musique,
lyre, résonateur,
Memnon, Orphée, Amphion,
pendule,
voix, traduction, langage

IL est arrivé plus d'une fois à Valéry de s'identifier à une plante « pensante ». Des nombreuses analogies qui fondent cette identification nous ne retenons dans ce chapitre que le frémissement par lequel l'arbre répond aux mouvements de l'air et qui ressemble jusqu'à s'y confondre au murmure de l'eau en mouvement — source, ruisseau, vague : « *Le changement des rives en rumeurs.* » (I, 148).

Il y a dans « Autres rhumbs » un fragment qui nous fait assister à la genèse du symbole et au passage de la notation en prose au « vers pur » :

L'arbre chante comme l'oiseau.
Tout à coup, coup de vent. — Vent brusque.
Cela vient, s'apaise, revient comme vagues.
Le vent donne au grand arbre une multitude de pensées, le surprend, le trouble, l'attaque en tous points, l'ébranle. Le revêt de l'envers de ses milliers de feuilles nombreuses. L'épouse, le change en rumeur qui grandit et s'affaiblit et le change en ruisseau perdu.
Ceci donne pur rêve du ruisseau.
L'arbre rêve d'être ruisseau ;

23

L'arbre rêve dans l'air d'être une source vive...
Et de proche en proche, se change en *poésie, en un*
vers pur...   (II, 659)

L'achèvement de l'évolution amorcée ici — bruit →
prose → poésie — est offert par la quatrième strophe
de « *Palme* » :

L'or léger qu'elle [*la palme*] murmure
Sonne au simple doigt de l'air,
Et d'une soyeuse armure
Charge l'âme du désert.
Une voix impérissable
Qu'elle rend au vent de sable
Qui l'arrose de ses grains,
À soi-même sert d'oracle,
Et se flatte du miracle
Que se chantent les chagrins.   (I, 154)

Une lecture méticuleuse pourrait même démêler
deux voix symboliques dans la « musique » de ce
dizain : le son fondamental de l'or de la palme
vibrant au « *doigt de l'air* », et — harmonique de
second rang — le « chant » mineur que le vent,
aspergeant le palmier de grains de sable — de
« *chagrins* », arrache miraculeusement à l'arbre...
    La même métamorphose de la plante feuillue en
« arbre de paroles » sous l'action du vent inspira-
teur (sens étymologique) est décrite dans les alexan-
drins camouflés du « Dialogue de l'arbre » : « *Chaque
jour, elle* [la Plante] *dresse un peu plus haut la
charge de ses charpentes torses, et livre par milliers
ses feuilles au soleil, chacune délirant à son poste
dans l'air, selon ce qui lui vient de brise et qu'elle
croit son inspiration singulière et divine...* » (II, 193).
    Reprise, enrichie, associée à d'autres allégories du
Poète, dans « *Au platane* » cette image sera pour

24

Valéry l'occasion de réfuter l'inspiration telle qu'on la concevait généralement.

> Haute profusion de feuilles, trouble fier
> > Quand l'âpre tramontane
> Sonne, au comble de l'or, l'azur du jeune hiver
> > Sur tes harpes, Platane,
> Ose gémir !... Il faut, ô souple chair du bois,
> > Te tordre, te détordre,
> Te plaindre sans te rompre, et rendre aux vents la voix
> > Qu'ils cherchent en désordre !   (I, 115)

Les métaphores qui suivent — le martyr, l'arc, le Cheval — même si non développées ou seulement impliquées, précisent le rôle passif de victime, d'instrument, d'« *appareil enregistreur d'enthousiasmes ou d'extases* » (I, 1376), de « medium *momentané* » (33), que les adeptes de l'inspiration assignent au Poète. C'est à ce rôle que le Platane, au nom de la lucidité et de la dignité, dira *non*, un non identique à celui que la Pythie oppose aux sévices que son « dieu » lui fait subir.

> — *Non, dit l'arbre. Il dit :* Non ! *par l'étincellement*
> > *De sa tête superbe,*
> *Que la tempête traite universellement*
> > *Comme elle fait une herbe !*   (I, 115)

Tout comme son jeune Platane, et à l'encontre des romantiques qui, eux, ont presque tous répondu par un *oui* empressé et abondant aux sollicitations de l'extérieur, Valéry refuse d'être, du moins dans ses poèmes et d'une manière directe et délibérée, l'« écho sonore » ou le haut-parleur du monde environnant. En revanche il se conçoit comme un résonateur aux aguets de la moindre onde venue du dedans, prêt à la capter et à l'amplifier :

25

Ô pour moi seul, à moi seul, en moi-même,
Auprès d'un cœur, aux sources du poème,
Entre le vide et l'événement pur,
J'attends l'écho de ma grandeur interne,
Amère, sombre et sonore citerne,
Sonnant dans l'âme un creux toujours futur ! (I, 149)

Il y a là comme le pendant acoustique du Narcisse !

Malgré ses ironies sur le Poète « table parlante *dans laquelle un* esprit *se loge* » (I, 1376), Valéry avait trop attentivement examiné l'expérience de la production poétique pour ne pas y faire la part de l'inanalysable : « *Ce n'est pas qu'il ne faille, pour faire un poète, quelque chose d'autre, quelque* vertu *qui ne se décompose pas, qui ne s'analyse pas en actes définissables* [...]. »

C'est justement au phénomène de la résonance que Valéry a recours pour approcher un peu plus le *quid* logiquement irréductible de toute création, dans un contexte d'une gravité pathétique. Torturé par son « ulcus », il dresse, dans les ultimes pages du dernier *Cahier*, un laconique bilan testamentaire dont voici le second point :

je connais *my heart* aussi. *Il triomphe. Plus fort que tout*, que l'esprit, que l'organisme. — Voilà le fait. Le plus obscur des faits. Plus fort que le vouloir vivre et que le pouvoir comprendre est donc ce sacré — C. « Cœur » — c'est mal nommé. Je voudrais, au moins, trouver le vrai nom de ce terrible résonateur. Il y a quelque chose en l'être qui est *créateur* de *valeurs*, et cela est tout puissant — irrationnel — inexplicable, ne s'expliquant pas.   (*C, XXIX*, 908-9)

Certainement, prétendre réduire la portée du « *terrible résonateur* » à une simple analogie de l'origine de la poésie serait presque une incongruité, bien que ce complexe facteur omnipotent, auquel

Valéry par pudeur et par scrupule du terme propre hésite à donner un nom, soit « créateur de valeurs », donc de valeurs esthétiques aussi. Mais ce n'est là que le corollaire d'un fait que l'analyste n'aura plus le temps d'éclaircir. Ce qui nous paraît le plus bouleversant c'est qu'en avouant, *calamo supremo*, le triomphe du « Cœur » sur « Mon Corps » et sur « l'Intellect », Valéry reconnaît le renversement de l'ordre qu'il avait instauré quarante-sept ans plus tôt, lors de la célèbre « Nuit de Gênes ».

Par l'évocation du mythe de Memnon, qui avait servi aussi à Lamartine et à Heredia, au facteur intérieur irrationnel vient s'ajouter le facteur extérieur, signifié par l'Aurore : « *Comme sur le granit de l'illustre statue agit le jour naissant qui le fait résonner, ainsi Memnon-Tityre à l'aurore improvise en lui seul, pour soi seul, des contes merveilleux...* » (II, 186).

Ce n'est pas seulement pour faire « couleur locale » dans un dialogue platonicien que l'auteur introduit cette boutade mythologique, c'est plutôt pour en tirer des conclusions sur l'autogenèse et l'autonomie de l'œuvre poétique auxquelles certains structuralistes de nos jours souscriraient bien volontiers : « *[...] une œuvre sans auteur n'est donc point impossible. Nul poète pour toi n'ordonna ces phantasmes, et toi-même jamais n'aurais tiré de toi ni ces délices, ni ces abîmes de tes songes... Point d'auteur... Il est donc des choses qui se forment d'elles-mêmes, sans cause, et se font leur destin...* » (II, 187).

Une autre fois, Valéry aboutit à cette même idée (d'une œuvre qui se fait seule) en partant de la constatation d'une *horror vacui* psychologique :

Un lieu vide, un temps vide, sont insupportables.
L'ornement de ces vides naît de l'ennui — comme

l'image des aliments naît du vide de l'estomac. — Comme l'action naît de l'inaction et comme le cheval piaffe, et le souvenir naît, dans l'intervalle des actes, et le rêve.

La fatigue des sens crée. — Le vide crée. Les ténèbres créent. Le silence crée. L'incident crée. Tout crée, excepté celui qui signe et endosse l'œuvre. (II, 674)

Passive, involontaire, spontanée, la musique figurant la poésie devient cependant un art élaboré, aux effets dompteurs et constructifs, à caractère apparemment magique, chez les joueurs d'instruments des légendes et des mythologies. Les instruments charmeurs sont la flûte, le violon, la lyre.

Les symboles les plus fréquents — on les rencontre une douzaine de fois dans l'œuvre de Valéry — de la poésie qui apprivoise les fauves, attache les âmes, approfondit les esprits, « *déplace les montagnes, fait se mouvoir les blocs, opère des constructions de temples, par une sorte de télémécanique merveilleuse* » (I, 1003), sont Orphée et Amphion. Symboles interchangeables, du moins dans la première partie de l'œuvre valéryenne, les deux héros tendent à se spécialiser dans leur signification. Orphée désignera surtout l'action psychique de la musique-poésie, Amphion sera plus particulièrement le poète architecte.

Sans nier l'aspect mystérieux de l'effet poétique, Valéry tente de l'expliquer par « *les moyens et les artifices du langage* » (I, 1423) et par « *l'antiquité actuellement observable des manières de sentir ou de réagir* » (651).

À tous ceux — poètes, conteurs, philosophes — qui s'évertuent avec plus ou moins de bonheur à jouer de la « puissance secrète » du discours pour agir sur les êtres, Valéry ajoute les hommes politiques, ce qui lui permet d'aiguiser quelques traits d'humour, coutumier au mandarin « apolitique », concernant les rapports de la poésie et du pouvoir. Voici un de ces traits : « *Il est remarquable que l'occupation la plus pure parmi les humaines qui est d'apprivoiser et de relever les êtres par le chant, comme faisait Orphée, conduise si souvent au désir de la plus impure.* » (I, 221).

Quant à la construction par la musique-poésie, thème majeur de la pensée valéryenne — le poète l'a chantée autant en prose [1] qu'en vers [2]. La teneur sémantique de la version en forme de sonnet se trouve condensée dans les deux tercets :

> Il chante, assis au bord du ciel splendide, Orphée !
> Le roc marche, et trébuche ; et chaque pierre fée
> Se sent un poids nouveau qui vers l'azur délire !
>
> D'un Temple à demi nu le soir baigne l'essor,
> Et soi-même il s'assemble et s'ordonne dans l'or
> À l'âme immense du grand hymne sur la lyre !
>
> (« *Orphée* » ; I, 77)

Mais c'est dans le « mélodrame » (sens étymologique) *Amphion*, que Valéry a donné le développement maximum à ce symbole dont il a esquissé lui-même le schéma : « *Amphion, homme, reçoit d'Apollon la lyre. La musique naît sous ses doigts. Aux sons de la musique naissante, les pierres se meuvent, s'unissent : l'architecture est créée.* » (II, 1282-3).

Cette architecture, représentée dans le mythe par la cité de Thèbes et par le sanctuaire consacré, comme de droit, au dieu des Arts, matérialise un archétype préexistant :

> [...] la Cité qui doit paraître aux yeux des hommes
> Est déjà toute conçue étincelante
> Dans les Hautes Demeures des Immortels !   (I, 177)

Le choix du musicien constructeur est également transcendantal. Bien que le poème de Valéry fasse voir tout le cérémonial par lequel les Sources, les Rêves et les Muses préparent Amphion à la mission qu'Apollon va lui confier, le choix divin n'en est pas plus motivé qu'un « coup de foudre », au sens propre comme au figuré. À la rigueur on pourrait déceler dans cette dernière figure l'idée d'une certaine éminence, et il est vrai que l'auteur, lors de la première représentation de son mélodrame, avait invité les spectateurs à imaginer le protagoniste *« aussi beau que vous le voudrez, aussi noblement vêtu et posé que vous le voudrez »* (II, 1280), mais sur la scène le même personnage apparaît comme un quelconque chasseur préhistorique, vêtu de la peau d'un fauve.

Plutôt arbitraire donc, l'élection équivaut aussi, religieusement et romantiquement, à une malédiction. Apollon dit à son élu :

Amphion !... Je t'ai choisi !
Entre mille, entre tous,
Comme choisit l'amour,
Comme une cime est choisie de la foudre.   (I, 172)

Et le même dieu déclare aux Muses :

[...] sachez que pour lui
Il n'est plus de bonheur... Il ne vit que pour moi !
(I, 173)

Cependant il convient de préciser que si, pour les *vates* de l'Antiquité, pour les prophètes de la Bible, pour les romantiques et certains symbolistes « maudits », la « malédiction » attachée à la condition de « l'élu » revêtait la forme d'une fatalité sacrée ou au moins extérieure à sa victime, pour Valéry les malheurs inhérents à l'exercice de la poésie ne diffèrent pas essentiellement des misères auxquelles expose toute passion, exclusive et dévorante par nature. L'appel qu'Apollon et les Muses adressent à leur homme n'est pas un ordre d'en haut, une prédestination transcendante, mais une vocation intime. La voix que le joueur de lyre entend c'est une voix des « puissances de son âme » : « *Qui m'appelle ?* » — demande Amphion. « — *Toi-même !* » lui répondent les « *Muses invisibles* » (I, 175).

Les formules d'investissement et les recommandations impérieuses du dieu suggèrent un art fondé sur l'utilité sociale, sur l'ordre issu de l'équilibre et de la rigueur, et sur une forte dose de... magie.

Je veux être par toi présent et favorable
À la race mortelle.
Je place en toi l'origine de l'ordre,
[...]
Tu chercheras, tu trouveras sur les cordes bien tendues
Les chemins que suivent les Dieux !
Sur ces chemins sacrés les âmes te suivront
Et l'inerte matière et les brutes charmées
Seront captives de la Lyre !   (I, 172-3)

Et en effet, peu après l'investiture, quand le disciple se met à l'œuvre, le « chœur invisible » constate qu'aux sons de « l'invention d'Hermès » :

[...] tout cherche l'ordre,
Tout se sent un destin !   (I, 178)

À l'analogie fondamentale musique—création, le poète rattache en passant les lieux communs métaphoriques :
de la chasse :

Je poursuivrai l'ouvrage et la beauté comme une proie !
                                                  (I, 177)

de l'amour :

> Ô grande Arme qui donnes la vie et non la mort !
> [...]
> À peine j'effleurai tes cordes d'or
> [...]
> Et j'ai senti la roche tressaillir
> Comme la chair d'une femme surprise !   (I, 176)

de l'accouchement :

> « Que ma Lyre enfante mon Temple !.. »   (I, 176)

Amphion en vient même à exprimer l'inquiétude, l'émerveillement, l'humilité du créateur devant les effets de ses pouvoirs :

> Ai-je blessé, heurté,
> *Charmé*, peut-être,
> Le Corps secret du monde ?
> Ai-je sans le savoir,
> Ému la substance des cieux,
> Et touché l'Être même que nous cache
> La présence de toutes choses ?
> Me voici donc plus puissant que moi-même,
> Voici que je me trouve étrange et vénérable
> Pour moi-même,
> Égaré dans mon âme, et maître autour de moi,
> Et je tremble comme un enfant
> Devant ce que je puis !   (I, 176-7)

Être si souvent revenu, s'être si longtemps arrêté à ce mythe grec, qui, tout en incarnant la trinité poésie—musique—architecture, pose comme but de l'activité artistique la transformation du chaos en harmonie, est un fait des plus révélateurs pour le classicisme de la poétique valéryenne.

Le rapprochement de la poésie et de la musique se poursuit dans maintes analyses en prose.

« L'univers poétique », comparable au monde du rêve[3], au champ magnétique, tel qu'il se forme autour d'un aimant ou d'un courant électrique[4], ou dans une solution sursaturée au moment de la cristallisation[5], est assimilable aussi à l'univers musical par sa structure spécifique, unitaire, faite de rapports cohérents *sui generis* entre ses éléments, et répondant à une certaine attente psychologique :

Je la connais [*l'émotion poétique*] en moi à ce caractère que tous les objets possibles du monde ordinaire, extérieur ou intérieur, les êtres, les événements, les sentiments et les actes, demeurant ce qu'ils sont d'ordinaire quant à leurs apparences, se trouvent tout à coup dans une relation indéfinissable, mais merveilleusement juste avec les modes de notre sensibilité générale. C'est dire que ces choses et ces êtres connus — ou plutôt les idées qui les représentent — changent en quelque sorte de valeur. Ils s'appellent les uns les autres, ils s'associent tout autrement que selon les modes ordinaires ; ils se trouvent (permettez-moi cette expression) *musicalisés*, devenus résonnants l'un par l'autre, et comme harmoniquement correspondants.   (I, 1320-1)

Valéry tâche de rendre plus suggestive encore cette analogie en inversant l'ordre des termes et en l'opposant à une autre analogie, le bruit — la prose :

Tandis qu'un *bruit* se borne à éveiller en nous un événement isolé quelconque — un chien, une porte, une voiture — *un son qui se produit évoque, à soi seul, l'univers musical.* Dans cette salle où je vous parle, où vous entendez le bruit de ma voix, si un diapason ou un instrument bien accordé se mettait à vibrer, aussitôt, à peine affectés par ce bruit exceptionnel et pur, qui ne peut pas se mêler avec les autres, vous auriez la sensation d'un commencement, le commencement d'un monde ; une atmosphère tout autre serait sur-le-champ créée, un ordre nouveau s'annoncerait, et vous-mêmes, vous vous organiseriez inconsciemment pour l'accueillir.

(I, 1327)

Outre les similitudes de leurs univers intérieurs ou de leurs effets à l'extérieur, la poésie est musique par sa substance audible, « *le son, le rythme, les accents, le timbre, le mouvement — en un mot, la* Voix *en action* » (I, 1332), qui compose une unité dialectique indissoluble avec le second constituant de la poésie, le fond — « *toutes les valeurs significatives, les images, les idées ; les excitations du sentiment et de la mémoire, les impulsions virtuelles et les formations de compréhension* ».

Entre ces deux pôles du poème, la Voix et la Pensée, le son et le sens, la Présence et l'Absence, oscille l'esprit de l'émetteur et du récepteur de poésie comme un pendule se balance entre les deux points extrêmes et symétriques de son amplitude.

Ce mouvement pendulaire de l'esprit entre le signifiant et le signifié du discours poétique, Valéry l'éprouve devant toute beauté artistique. La beauté n'est pas la qualité intrinsèque d'une chose, mais l'« *attribution à une chose (c.à d. un réciproque d'un Moi) de l'effet d'exciter par sa perception le désir de la percevoir et de conserver cette perception... [...] L'excitation est renouvelée par sa satisfaction même... Cycle. — [...] La beauté exige recommencement* » (*C*, XXI, 754-5). Dans la dégustation de la beauté l'esprit retourne donc sans cesse comme s'il y trouvait une « nouveauté inépuisable », et ne s'arrête que par une intervention extérieure, telle que la fatigue. La jouissance esthétique peut être comparée à la « *caresse recommencée indéfiniment sur un corps fini* » (*C*, VIII, 632). Au perpétuel va-et-vient du récepteur correspond « *le point divin* » que le créateur devrait atteindre, « *où l'on lâche la considération des* choses *pour passer à la considération des* signes *et puis* revenir ».

Apparentée à l'image du pendule, une autre image est appliquée par Valéry au retour à intervalles réguliers d'une même sonorité : « *La Rime — constitue une loi indépendante du sujet et est comparable à une horloge extérieure* » (II, 552).

Réduire la fonction de la rime au rôle d'un métronome a de quoi surprendre dans une poétique qui emprunte à la musique plus que son bien.

D'une manière générale les vers agissent sur nous à la façon des accords musicaux, et la poésie n'est qu'une tentative de traduire l'affectif et l'ineffable dans un langage primitivement et savamment musical. C'est « *l'essai de représenter, ou de restituer, par les moyens du langage articulé, ces* choses *ou* cette chose, *que tentent obscurément d'exprimer les cris, les larmes, les caresses, les baisers, les soupirs, etc., et que* semblent vouloir exprimer les objets, *dans ce qu'ils ont d'apparence de vie, ou de dessein supposé* » [6] (II, 547). Ce que Valéry dit de la poésie des classiques peut s'étendre à la poésie entière : « *Elle est une traduction,* une belle infidèle, — *infidèle à ce qui n'est pas en accord avec les exigences d'un langage pur.* » (564). Est-il encore nécessaire de rappeler que par son exigence de pureté musicale, tout comme par ses tentatives de retrouver les sources primitives du langage poétique, Valéry continue les efforts de Mallarmé tendant à créer un vers qui soit « *un mot total, neuf, étranger à la langue et comme incantatoire* » [7], et à « *Donner un sens plus pur aux mots de la tribu* » [8]... ?

Dans ce genre de translation qu'est la poésie, ce n'est pas le sens conceptuel qui détient le primat : « *Le poète est une espèce singulière de traducteur* qui *traduit le discours ordinaire, modifié par une émotion, en "langage des dieux" ; et son travail interne consiste moins à chercher des mots pour ses idées qu'à chercher des idées pour ses mots et ses rythmes prédominants.* » (I, 212). Il est évident qu'entre les deux pôles de la poésie, le pendule valéryen penche davantage du côté de la « forme » sensible.

Le discours poétique — Valéry n'a cessé de le répéter — est un langage spécial.

Honneur des Hommes, Saint LANGAGE,
Discours prophétique et paré,
Belles chaînes en qui s'engage
Le dieu dans la chair égaré,
Illumination, largesse !
Voici parler une Sagesse
Et sonner cette auguste Voix
Qui se connaît quand elle sonne
N'être plus la voix de personne
Tant que des ondes et des bois !   (I, 136)

Donc un langage diphyse, dont les deux « natures » — l'humaine et la divine — sont organiquement liées ; autrement dit, une opacité sécrétant de la lumière, car « *rendre la lumière / Suppose d'ombre une morne moitié* » (I, 148) ; une harmonie à la fois rigoureuse et éclatante ; une parole individuelle, qui, à force d'être vraie, devient universelle, révélatrice aussi, mais aux antipodes du délire d'une sibylle en transe.

Pour Valéry le poète n'est pas un « songeur » apocalyptique, mais un profond connaisseur du langage, un maître du clavier de l'expressivité verbale et de la « *synthèse de l'incantation* » (I, 649), concevant non plus arithmétiquement mais algébriquement les problèmes du style [9].

Le goût et l'étude des mathématiques ont valu à Valéry quelques métaphores assez spéciales des éléments linguistiques, qui ne seraient pas déplacées à cet endroit de notre inventaire où le langage est tenu pour une synecdoque de la poésie.

C'est ainsi que les mots, du fait de leur double nature (signifiant + signifié), sont comparés à « *ces nombres complexes des géomètres, et l'accouplement de la* variable phonétique *avec la* variable sémantique *engendre des problèmes de prolongement et de convergence que les poètes résolvent les yeux bandés,* [...] *de temps à autre* » (I, 1356-7).

Valéry énonce aussi un théorème de l'expressivité lexicale qui, pour s'accorder à certaines convictions exprimées dans « Poésie et pensée abstraite », ne laissera pas de surprendre ceux qui surestiment les vertus suggestives du vocable concret : « *La puissance des variations expressives du même mot est directement proportionnelle à son extension et indirectement* [inversement proportionnelle] *à sa compréhension* » [10]. Le mot *pain* serait ainsi moins riche en virtualités poétiques que le mot *liberté*.

Dans la même terminologie, pour souligner l'importance des tropes dans la poésie véritable, où ils ne sont plus des ornements facultatifs mais des parties à fonction génératrice, Valéry dira que chez Mallarmé (*Tu duca, tu signore, et tu maestro !*) la métaphore semble recevoir « *la valeur d'une relation symétrique fondamentale* » (I, 658).

Pareillement, on peut découvrir, avec Ida-Marie Frandon, tout un tissu de fils allégoriques, « *venus des mathématiques, de la physique, de la Relativité* » [11], dans la dernière strophe d'« *Aurore* » :

J'approche la transparence
De l'invisible bassin

Où nage mon Espérance
Que l'eau porte par le sein.
Son col coupe le temps vague
Et soulève cette vague
Que fait un col sans pareil...
Elle sent sous l'onde unie
La profondeur infinie,
Et frémit depuis l'orteil.   (I, 113)

Pour l'exégète qu'on vient de citer[11], ces vers évoquent un univers einsteinien, où le *bassin* serait une « *sphère ou une ellipse* », le *sein* suggérerait le « *sinus* », le *temps vague*, coupé par le *col sans pareil*, signifierait le temps-espace incurvé par la matière. Au beau milieu de l'*onde unie*, allusion au « *Champ unitaire* », l'*Espérance*, « *issue du calcul des probabilités* », représenterait « *les possibilités de vie de celui qui* nage *à son aise dans ce monde d'équations qu'il admire de tout son être, dont son être ressent en quelque sorte les vibrations :* Et frémit depuis l'orteil ».

Même si cette interprétation peut sembler trop technique ou trop ingénieuse pour emporter du premier coup l'adhésion d'un lecteur non prévenu, qui préférerait s'en tenir à la signification du Cygne mallarméen — Poète de la connaissance et de la création, évoluant souverainement sur les eaux inépuisables de son esprit —, cette lecture mathématicienne est plus satisfaisante que l'explication thématique et archétypique de Jean-Paul Weber, qui, détail significatif, traduit le *col* de l' *Espérance* par les « *collerettes roidement enfoncées* »[12], que portait Paul Valéry, enfant de trois ans, au moment où il faillit se noyer dans le bassin du jardin public de Sète.

Cependant, comme le poète lui-même le dit, « il n'y a pas de vrai sens d'un texte. *Pas d'autorité de l'auteur. Quoi qu'il ait* voulu dire, *il a écrit ce qu'il a écrit. Une fois publié, un texte est comme un appareil dont chacun se peut servir à sa guise et selon ses moyens : il n'est pas sûr que le constructeur en usc mieux qu'un autre* » (I, 1507).

3   *réaction douloureuse*
foudroiement, heurt,
piqûre, morsure,
arbre, Pythie

IL y a une série d'images dans l'œuvre de Valéry qui représentent la poésie comme une réponse à certains stimuli. Seulement on y constate que lorsque l'action de l'agent extérieur dépasse un certain seuil de l'intensité, l'effet poétique cesse, ce qui semble contester la thèse romantique selon laquelle la souffrance est une source de poésie.

Cependant, même antiromantiquement employées par leur auteur, on a pu rassembler ici un certain nombre d'images « doloristes » ayant déjà servi aux romantiques, comme « le bronze heurté », qui rappelle le rocher frappé par Moïse (Musset [13]) ou la cloche (Lamartine [14], Hugo [15], Baudelaire [16]).

* « Un airain jamais heurté [écrit Valéry] ne rend pas le son fondamental qui serait le sien. » (I, 1203). Il est vrai que le contexte de la métaphore lui confère un sens plus large que celui de la création poétique : * « Ce qui est le plus vrai d'un individu, est le plus Lui-Même, c'est son *possible*, — que son histoire ne dégage qu'incertainement. »

À propos d'Amphion, on a déjà relevé « le coup de foudre » auquel est assimilé le choix qu'Apollon fait dans le futur fondateur de Thèbes.

Bien que le « choc » divin, tel qu'il est invoqué
par les Muses, ne doive produire que divers effets
de lumière,

Frappe, ô Dieu, frappe, éclaire, illumine,
    De ta voix éternelle,
    Frappe celui-ci, Amphion !
Comme le pur soleil frappe au sommet du mont
Et fait étinceler la cime la plus haute !   (I, 171)

il n'est plus possible de nier l'idée de souffrance
dans les déclarations du dieu lui-même : « *Je t'ai
choisi !* [...] *Comme une cime est choisie de la
foudre !* » (I, 172) ; « *pour lui* [Amphion]/*Il n'est
plus de bonheur... Il ne vit que pour moi !* » (173).
    Il est même arrivé à Valéry de frôler l'image
mussettienne du poème — larme cristallisée — dans
cette tentation de la seconde Fée du « Solitaire » :

Comme l'amour fait d'une larme
    Un pur poème de cristal,
Je puis de tes dégoûts fondre une âme nouvelle,
                      (II, 399)

    Et dans la huitième strophe d'« *Aurore* », le poète
paraît encore plus proche du dolorisme romantique :

Je ne crains pas les épines !
L'éveil est bon, même dur !
Ces idéales rapines
Ne veulent pas qu'on soit sûr :
Il n'est pour ravir un monde
De blessure si profonde
Qui ne soit au ravisseur
Une féconde blessure,
Et son propre sang l'assure
D'être le vrai possesseur.   (I, 113)

La « *féconde blessure* » rappelle irrésistiblement l'analogie formulée d'abord par Chateaubriand : « *Le cœur, ô Chactas, est comme ces sortes d'arbres qui ne donnent leur baume pour les blessures des hommes, que lorsque le fer les a blessés eux-mêmes.* » [17], illustrée ensuite par Musset dans « *La Nuit de mai* » et par Théophile Gautier dans « *Le Pin des landes* » :

Le poète est ainsi dans les Landes du monde ;
Lorsqu'il est sans blessure, il garde son trésor.
Il faut qu'il ait au cœur une entaille profonde
Pour épancher ses vers, divines larmes d'or. [18]

Mais le rapprochement ne peut être que limité, superficiel. À l'image valéryenne fait complètement défaut le filigrane du sacrifice. Il n'y a pas l'ombre d'un Christ donnant son sang pour le salut des hommes dans le *Je* de Valéry qui a dérobé un monde ou une rose et qui, ce faisant, s'est égratigné. Le sang de l'éraflure n'est ni un baume charitable ni une rédemption. C'est, pour le « ravisseur » lui-même, la preuve et le prix de sa propre conquête — intellectuelle ou esthétique.

Si pour avoir la rose il faut tâter aux épines, pour goûter le miel il faut accepter le risque des piqûres. Telle pourtant n'est pas tout à fait la morale de « *L'Abeille* » de Valéry. L'« *infime alerte d'or* » (I, 118), que produit l'aiguillon, ne fait que raviver un amour qui, sans cela, sommeille et meurt. La souffrance brève et nette constitue, certes, un excitant — sado-masochiste ? — de la poésie, mais, psychologiquement, la piqûre du dard, qui fait venir sur la gourde belle et rebelle du sein une goutte du Moi, à quoi correspond-elle ? Serait-ce quelque chose de l'ordre de l'affect ou de la pensée ? N'importe, la poésie, loin de s'en garder, s'y expose :

Quelle, et si fine, et si mortelle,
Que soit ta pointe, blonde abeille,
Je n'ai, sur ma tendre corbeille,
Jeté qu'un songe de dentelle.   (I, 118)

Un petit « *mal vif et bien terminé* » (I, 118) stimule donc la production de poésie, mais « trop n'en faut ». Un certain degré de la douleur se trouvant dépassé, le flux poétique s'arrête. Valéry le dit à l'aide de l'image du nourrisson qui mord le sein de sa nourrice en train d'allaiter. Évidemment il s'agit d'un « nourrisson de la Muse », pris au sens le plus concret, qui s'est un peu effacé dans le noble cliché mythologique :

Par la surprise saisie,
Une bouche qui buvait
Au sein de la Poésie
En sépare son duvet :

— Ô ma mère Intelligence,
De qui la douceur coulait,
Quelle est cette négligence
Qui laisse tarir son lait !

[...]

Mais la Source suspendue
Lui répond sans dureté :
— Si fort vous m'avez mordue
Que mon cœur s'est arrêté !   (I, 119-20)

Remarquons-y d'abord la synonymie bien valéryenne Poésie—Intelligence—Amour, et l'ambiguïté du signifié : Est-il question de l'extase quasi mystique du producteur de poésie ou de celui qui savoure la poésie ?

Je sentais, à boire l'ombre,
M'envahir une clarté !

Dieu perdu dans son essence,
Et délicieusement
Docile à la connaissance
Du suprême apaisement,
Je touchais à la nuit pure,
Je ne savais plus mourir,
Car un fleuve sans coupure
Me semblait me parcourir...   (I, 119)

Quant à la morsure — due sans doute à un excès
d'appétit impatient — si, dans ce poème, elle a pour
conséquence de couper le courant, dans d'autres
circonstances elle est suivie, au contraire, tout
comme la piqûre de « *L'Abeille* », d'une espèce de
réanimation qui n'est pas sans rappeler certains
effets d'induction électro-magnétique :

Je meurs, je meurs sur toi, je tombe et je m'abats,
Mais à peine abattu sur le sépulcre bas,
Dont la close étendue aux cendres me convie,
Cette mort apparente, en qui revient la vie,
Frémit, rouvre les yeux, m'illumine et me mord,
Et m'arrache toujours une nouvelle mort
        Plus précieuse que la vie.
                (« *La Fausse morte* » ; I, 137-8)

À noter, en passant, que dans cette figuration du
culte de la Beauté par l'amour d'un agonisant,
Valéry devait inévitablement rencontrer Baudelaire :

L'amoureux pantelant incliné sur sa belle
A l'air d'un moribond caressant son tombeau.
                (« *Hymne à la Beauté* » [19])

Si, sous la pression des faits observés, Valéry
reconnaît le rôle de l'agent extérieur ou « étranger »
dans la composition poétique, il lui répugnera tou-

jours de concevoir celle-ci comme régie uniquement par cet agent. Pour Valéry le poème, quels qu'en soient les éléments venus du dehors ou des zones obscures et incontrôlées de l'âme du poète, doit être, en instance suprême, l'œuvre de la conscience réflexive et volontaire de celui-ci.

Après « *Au platane* », le symbole qui orchestre le plus amplement l'antithèse du dionysiaque et de l'apollinien en matière de poésie c'est « *La Pythie* ». Bien que l'« *Intelligence adultère* » (I, 131) par laquelle la vierge est violentée soit d'un bout à l'autre du poème le même dieu du soleil — il y a toutefois une allusion à Hécate aussi, reflet nocturne, médusant de la divinité solaire —, tous les symptômes — sauf le dernier — de la possession divine sont à l'opposition de l'épiphanie finale.

D'ailleurs le poète a soin d'évoquer tous les adjuvants — autant de drogues — de l'« enthousiasme » au sens étymologique : les aromates « *laineux et doux comme un troupeau* » (I, 133), le murmure envoûtant des psalmodies, les émanations spasmogènes de la grotte, les simulacres « *vipérins* »...

Le spectacle qu'offre involontairement la pythonisse s'ouvre par un tableau de « l'inspiration » convulsive, échevelée, démente, animale :

La Pythie exhalant la flamme
De naseaux durcis par l'encens,
Haletante, ivre, hurle !... l'âme
Affreuse, et les flancs mugissants !
Pâle, profondément mordue,
Et la prunelle suspendue
Au point le plus haut de l'horreur,   (I, 130)

Son corps se contorsionne épileptiquement, s'arc-boute et se bande dans un orgasme stérile :

[...] Maître immonde, cesse
Vite, vite, ô divin ferment,
De feindre une vaine grossesse
Dans ce pur ventre sans amant !
Fais finir cette horrible scène !
Vois de tout mon corps l'arc obscène
Tendre à se rompre pour darder
Comme son trait le plus infâme,
Implacablement au ciel l'âme
Que mon sein ne peut plus garder !   (I, 131)

À la métaphore de l'arc vainement bandé et à
l'analogie de la fausse conception s'allie le symbole
de la lyre brisée :

Pourquoi, Puissance Créatrice,
Auteur du mystère animal,
Dans cette vierge pour matrice,
Semer les merveilles du mal !
Sont-ce les dons que tu m'accordes ?
Crois-tu, quand se brisent les cordes
Que le son jaillisse plus beau ?
Ton plectre a frappé sur mon torse,
Mais tu ne me laisses la force
Que de sonner comme un tombeau !   (I, 134)

L'autre « inspiration », la poésie dite classique, est
évoquée nostalgiquement par la même Pythie, comme
un retour au bonheur sain et serein des souvenirs et
du corps épanoui et apaisé.

Tourne donc plutôt ta pensée
Vers la joie enfuie, et reviens,
Ô mémoire, à cette magie
Qui ne tirait son énergie
D'autres arcanes que des tiens !

Mon cher corps... [...]
[...]

Quelle alliance nous vécûmes,
Avant que le don des écumes
Ait fait de toi ce corps de mort !   (I, 132)

Témoignant de la même préférence, le calme et la
limpidité contrastent avec l'agitation incohérente et
le trouble faussement profond de ce qu'on est
convenu d'appeler romantisme :

L'eau tranquille est plus transparente
Que toute tempête parente
D'une confuse profondeur !   (I, 134)

Enfin « l'oracle » qui clôt le poème et que nous
avons déjà cité et commenté dans le chapitre pré-
cédent définit la poésie telle que Valéry l'a conçue
et réalisée :

Honneur des Hommes, Saint LANGAGE,
Discours prophétique et paré,
Belles chaînes en qui s'engage
Le dieu dans la chair égaré,
[...]   (I, 136)

4 | croissance végétale
germination, enracinement,
ramification, feuillage,
fleur, parfum, fruit, vin

A U chapitre consacré à la musique en tant que
métaphore de la poésie nous avons déjà
marqué la place de l'arbre bruissant. Cependant Valéry s'est identifié à l'arbre non seulement dans l'hypostase sonore de ce dernier mais dans presque toutes les fonctions d'un végétal. Il a souvent avoué le sentiment d'être

Plante, une Plante, qui pense, mais ne distingue pas ses puissances diverses, sa forme de ses forces, et son port de son lieu. Forces, formes, grandeur, et volume, et durée ne sont qu'un même fleuve d'existence, un flux dont la liqueur expire en solide très dur, tandis que le vouloir obscur de la croissance s'élève, éclate, et veut redevenir vouloir sous l'espèce innombrable et légère des grains. Et je me sens vivant l'entreprise inouïe du Type de la Plante, envahissant l'espace, improvisant un rêve de ramure, plongeant en pleine fange et s'enivrant des sels de la terre, tandis que dans l'air libre, elle ouvre par degrés aux largesses du ciel des milliers verts de lèvres... Autant elle s'enfonce, autant s'élève-t-elle : elle enchaîne l'informe, elle attaque le vide ; elle lutte pour tout changer en elle-même, et c'est là son Idée !...

(II, 192)

Il semble au poète qu'il participe lui aussi, de tout son être, à cette « méditation » de l'arbre, puissante, agissante, « *rigoureusement suivie dans son dessein* » (II, 192). Il donne à ce concept, le sens d'une action structurante : « *Méditer, n'est-ce point s'approfondir dans l'ordre ? Vois comme l'Arbre aveugle aux membres divergents s'accroît autour de soi selon la Symétrie. La vie en lui calcule, exhausse une structure, et rayonne son nombre par branches et leurs brins, et chaque brin sa feuille, aux points mêmes marqués dans le naissant futur...* » (193).

Réfléchissant à cette même force végétale,

Qui pressent, calcule, devine
Et s'organise pour sa fin ; [20]

Lamartine lui attribuait une origine providentielle. Valéry ne transcende pas la botanique... et la poétique.

C'est par ses structures spatio-temporelles, plus profondément que par le frémissement de ses feuilles au souffle du vent, que l'arbre est assimilable au poète et au poème : « [...] *une plante est un chant dont le rythme déploie une forme certaine, et dans l'espace expose un mystère du temps.* » (II, 193).

D'ailleurs à chaque phase du développement de la plante correspond un stade de la forme du poème.

L'ensemencement et la germination :

Certains *mots* tout à coup s'imposent au poète, semblent orienter vers eux, dans la masse implicite de l'être mental, tels souvenirs infus ; ils exigent, appellent, ou illuminent de proche en proche, ce qu'il leur faut d'images et de figures phonétiques pour justifier leur apparition et l'obsession de leur présence. Ils se font germes de poèmes...   (II, 1320)

La semence de la poésie n'est donc ici ni un sentiment ni une idée. Parfois ce n'est même pas un vocable, mais un bout de rythme, comme ce fut le cas pour la genèse de « *La Pythie* » :

Voici ce qui arriva : mon fragment [prosodique] se comporta comme un fragment vivant, puisque, plongé dans le milieu (sans doute nutritif) que lui offraient le désir et l'attente de ma pensée, il proliféra et engendra ce qui lui manquait : quelques vers au-dessus de lui, et beaucoup de vers au-dessous. (I, 1339)

Si cette dernière confession suggère la culture d'un tissu cellulaire *in vitro*, les vers suivants font allusion à une espèce d'ensemencement artificiel d'origine cosmique... :

Et toi, de ces hauteurs d'astres ensemencées,
Accepte, fécondé de mystère et d'ennui,
Une maternité muette de pensées... (I, 89)

En poursuivant l'essor de l'Arbre analogique entre « l'empire des morts » et « le poids du firmament », les deux limites que le bon La Fontaine avait déjà assignées à la majesté de son chêne,

Celui de qui la tête au ciel était voisine
Et dont les pieds touchaient à l'empire des morts.
(« *Le Chêne et le roseau* », *Fables*, I)

Valéry relève avec une rhétorique savante l'antagonisme dialectique des deux tropismes fondamentaux, déterminés par cette bipolarité terre—ciel. À l'antithèse déjà citée : « *Autant elle* [la Plante] *s'enfonce, autant s'élève-t-elle* » (II, 192), il conviendrait d'ajouter cette autre, où les mêmes termes sont inversés :

Ombre retentissante en qui le même azur
Qui t'emporte, s'apaise,

La noire mère astreint ce pied natal et pur
   À qui la fange pèse. (I, 113)

La clarté du sens allégorique de l'opposition en rend superflu le commentaire.

La même remarque est valable pour le géotropisme de l'enracinement : l'arbre est

> Un fleuve tout vivant de qui les sources plongent [et trouvent] dans la masse obscure de la terre les chemins de leur soif mystérieuse. C'est une hydre [...] aux prises avec la roche, et qui croît et se divise pour l'étreindre ; qui de plus en plus fine, que par l'humide, s'échevèle pour boire la moindre présence de l'eau imprégnant la nuit massive où se dissolvent toutes choses qui vécurent. Il n'est bête hideuse de la mer plus avide et plus multiple que cette touffe de racines, aveuglément certaines de progrès vers la profondeur et les humeurs de la terre. Mais cet avancement procède, irrésistible, avec une lenteur qui le fait implacable comme le temps. Dans l'empire des morts, des taupes et des vers, l'œuvre de l'arbre insère les puissances d'une étrange volonté souterraine. (II, 180-1)

On serait sans doute en droit de répugner à traduire jusqu'au dernier détail, en termes de travail intellectuel ou de démarche créatrice, cette prose rythmée et imagée sur la physiologie de la racine. Mais comme c'est là un poète penseur qui parle par la bouche d'un autre poète penseur (Lucrèce), et non un botaniste, on se trouve justifié de croire par exemple que le souterrain « empire des morts » désigne non seulement le sol de la végétation, mais aussi les couches de la mémoire ancestrale et individuelle, l'humus et le sous-sol de la conscience, faits de « toutes choses qui vécurent ». D'ailleurs un autre passage du même « Dialogue de l'arbre » nous confirme dans cette croyance : « Le suc de la terre dormante » que l'Arbre puise « *au sein même des ténèbres dans lesquelles se fondent et se confondent ce qui est de notre espèce, et ce qui est de notre matière vivante, et ce qui est de nos souvenirs, et de nos forces et faiblesses cachées, et enfin ce qui est le sentiment informe de n'avoir pas toujours été et de devoir cesser d'être »* (II, 183).

Cet Arbre peut également avoir nom Amour. « *L'un et l'autre sont chose qui, d'un germe imperceptible née, grandit et se fortifie, et se déploie et se ramifie ; mais autant elle s'élève vers le ciel (ou vers le bonheur) autant doit-elle descendre dans l'obscure substance de ce que nous sommes sans le savoir.* » (II, 183).

En vers, cela donne :

Arbre dans l'âme aux racines de chair
Qui vit de vivre au plus vif de la vie
Il vit de tout, du doux et de l'amer
Et du cruel, encor mieux que du tendre.
Grand Arbre Amour, [...]
[...]
Mille moments que se garde le cœur
Te sont feuillage et flèches de lumière !
Mais cependant qu'au soleil du bonheur
Dans l'or du jour s'épanouit ta joie,
Ta même soif, qui gagne en profondeur,
Puise dans l'ombre, à la source des pleurs... (II, 182-3)

« La source des pleurs », c'est *l'ineffable* (et par là l'Arbre Amour est aussi le Poète), « *Car, nos larmes [...] sont l'expression de notre impuissance à* exprimer, *c'est-à-dire à nous défaire par la parole de l'oppression de ce que nous sommes...* » (II, 183).

Un autre arbre mythique, au double tropisme duquel le poète se plaît un peu comme « l'Insinuant » de la Bible, c'est l'Arbre de la connaissance du bien et du mal :

Ô Chanteur, ô secret buveur
Des plus profondes pierreries,
Berceau du reptile rêveur
Qui jeta l'Ève en rêveries,
Grand Être agité de savoir,
Qui toujours, comme pour mieux voir,
Grandis à l'appel de ta cime,
Toi qui dans l'or très pur promeus
Tes bras durs, tes rameaux fumeux,
D'autre part, creusant vers l'abîme,

Tu peux repousser l'infini
Qui n'est fait que de ta croissance,
Et de la tombe jusqu'au nid
Te sentir toute Connaissance !

(« *Ébauche d'un serpent* » ; I, 145)

L'Arbre de la Science est identique à l'Arbre
Amour et à l'Arbre Poète, jusqu'aux fruits exclus,
car les fruits défendus par le Créateur biblique
n'apporteront aux « fils de la fange » que désordre,
désespoir et mort, tandis que les autres arbres
symboliques, notamment le Platane, le Grenadier et
le Palmier, produisent des poèmes.

Le Platane, dont « *les pieds échevelés* » (I, 114)
et « *l'hydre vénérable* » sont pris dans la même
« *cendre* » des morts que celle de ses pareils, abandonne à tous les vents ses « *spermes ailés* ».

Le Grenadier est entièrement impliqué dans ses
fruits. Sous la double pression du soleil et de leur
propre « trésor intérieur », fait de grains, de pulpe
et de jus, tous couleur de rubis, les grenades à la
peau dorée éclatent et laissent voir de merveilleuses
architectures cérébrales et charnelles. Plutôt qu'une
offrande, cette déhiscence, dont le caractère brusque
et irrépressible est signifié par la fréquence des
verbes de l'aire sémantique d'*éclater* (*céder, craquer,
rompre*), est une révélation [21].

Le Palmier aussi tire sa sève par « *des racines avides* » (I, 155) qui creusent le désert.

> La substance chevelue
> Par les ténèbres élue
> Ne peut s'arrêter jamais,
> Jusqu'aux entrailles du monde,
> De poursuivre l'eau profonde
> Que demandent les sommets. (I, 155)

Parmi ces *sommets* où va la sève il y a les fruits, que Valéry évite d'appeler prosaïquement ou vulgairement « dattes », de même qu'il évite les vocables « palmier » et « grenadier »...

Le consommateur des fruits symboliques, absent dans « *Au platane* », vaguement présumé dans le présentateur admiratif des « *Grenades* », se trouve plus concrètement indiqué par un « agenouillement » ambigu dans « *Palme* ». En effet, les dattes, une fois mûries à force de patientes accumulations silencieuses, une fois tombées par terre grâce à une quelconque intervention extérieure, les gens se jettent dessus — ou se prosternent — soit pour les adorer soit pour les ramasser et les manger :

> Patience, patience,
> Patience dans l'azur !
> Chaque atome de silence
> Est la chance d'un fruit mûr !
> Viendra l'heureuse surprise :
> Une colombe, la brise,
> L'ébranlement le plus doux,
> Une femme qui s'appuie,
> Feront tomber cette pluie
> Où l'on se jette à genoux ! (I, 155)

C'est surtout par la dualité de sa nature — à la fois aliment et délectation des sens — que le fruit se rapproche le plus du poème : « *La pensée doit être cachée dans les vers comme la vertu nutritive dans un fruit. Un fruit est nourriture, mais il ne paraît que délice. On ne perçoit que du plaisir, mais on reçoit une substance. L'enchantement voile cette nourriture insensible qu'il conduit.* » (II, 547-8).

S'il était permis d'équivaloir l'œuvre d'un poète à sa « future fumée », on pourrait rattacher à l'image de la consommation du poème cette autre image, que Valéry utilise à vrai dire pour suggérer la manière dont il savoure par anticipation son propre anéantissement ou ce qu'il en restera :

> Comme le fruit se fond en jouissance,
> Comme en délice il change son absence
> Dans une bouche où sa forme se meurt,
> Je hume ici ma future fumée, (I, 148)

Cependant, plus que par le sort du fruit, plus, surtout, que par ceux qui en bénéficient, Valéry est intéressé par ce qui se passe dans l'arbre producteur. C'est ainsi que, revenant à la Palme, il constate qu'elle s'est enrichie du don que, sans intention généreuse, elle a fait au monde :

> Tu n'as pas perdu ces heures
> Si légère tu demeures
> Après ces beaux abandons ;
> Pareille à celui qui pense
> Et dont l'âme se dépense
> À s'accroître de ses dons ! (I, 156)

Ce n'est pas là quelque résidu évangélique chez Valéry, mais une conviction fondée sur des expériences personnelles : « *Celui qui vient d'achever une œuvre tend à se changer en celui capable de faire cette œuvre.* [...] [§] *L'œuvre modifie l'auteur.*

[§] [...] [§] *De même un enfant finit par donner à son père l'idée, et comme la forme et la figure de la paternité.* [...] [§] Créateur créé » (par sa création) (II, 673).

Pour illustrer, non sans une lueur d'ironie ou d'humour, une conception uniquement hédoniste du rôle de la poésie, ou pour tourner un compliment mallarméen à un confrère espagnol, il est arrivé à notre poète de substituer, dans la symbolique végétale du poème, à la saveur du fruit le parfum d'une rose :

> Ces gens disent qu'il faut qu'une muse ne cause
> Non plus de peines qu'une rose !
> Qui la respire a purement plaisir.   (I, 163)

Et sur le même ton enjoué et familier, il écrira devant le bouquet de roses que Juan Ramon Jimenez lui a envoyé : « *J'y respire un autre poète.* » (I, 302).

Il y a bien sûr le parfum de la rose sauvage et celui de la rose obtenue par tout un art jardinier ; il y a le parfum naturel et le parfum synthétisé par la science et la technique du chimiste. Inutile de préciser auxquels de ces produits vont les préférences de Valéry, en opposition avec le préjugé romantique qui prétend que

[...] la méditation abstraite de son art, la rigueur appliquée à la culture des roses, ne peuvent que perdre un poète, puisque le principal et le plus charmant effet de son ouvrage doit être de propager l'impression d'un état naissant et heureusement naissant, qui, par la vertu de la surprise et du plaisir, puisse indéfiniment soustraire le poème à toute réflexion critique ultérieure. Ne s'agit-il pas d'émaner un parfum si tendre ou si fort qu'il désarme et enivre le chimiste, et le réduise chaque fois à respirer avec délices ce qu'il allait décomposer ?
                                                                    (I, 1482)

Il est vrai que ce chimiste-là désigne plutôt le critique ou l'esprit critique. Mais, après avoir évoqué l'analyse chimique, Valéry fait état de la synthèse, opération complémentaire par laquelle le chimiste « *s'applique à* [...] *reconstruire de toutes pièces* » (I, 1362) le parfum, opération analogue à la synthèse poétique.

C'est ici que doit trouver sa place une autre métaphore traditionnelle de la poésie, le vin, produit de la chimie végétale.

Sans retenir de tout le halo antique, religieux et romantique de l'image que certaines allusions légères (offrande, libation rituelle, sacrifice), Valéry relève les vertus homéopathiques de la prestigieuse liqueur. Quelques gouttes à peine versées dans l'Océan — mer intérieure ou « mer des multitudes » ? — et c'est l'ivresse universelle :

> Perdu ce vin, ivres les ondes !...
> J'ai vu bondir dans l'air amer
> Les figures les plus profondes...
>
> (« *Le Vin perdu* » ; I, 147)

5 | *attente et désir*
aimant, piège, oiseleur,
araignée, chasseur

Un des faits les plus frappants et les plus constants que Valéry ait notés, pendant qu'il s'observait en train de composer ou de « consommer » des vers, est une attitude mentale d'attente active, fortement orientée, sélective même, bien qu'incapable de préciser d'avance son objet.

Dans le grand calme qui l'écoute, Narcisse « *écoute l'espoir* » (I, 82 et 123). « *À l'extrême du désir* » (112), l'âme du poète « *s'écoute qui tremble* » :

Et parfois [sa] lèvre semble
Son frémissement saisir.
(« Aurore » ; I, 112)

Il s'agit d'un état paradoxalement composé de nonchalance accueillante et de désir intense : « *La Poésie se forme ou se communique dans l'abandon le plus pur ou dans l'attente la plus profonde* [...]. » (I, 1290).

Tout comme une caisse de résonance au repos, le poète est à l'affût du frémissement intérieur, « *ni vu ni connu* » (I, 136), qui le mette en branle :

Ô pour moi seul, à moi seul, en moi-même,
Auprès d'un cœur, aux sources du poème,
Entre le vide et l'événement pur,
J'attends l'écho de ma grandeur interne,
(« Le Cimetière marin » ; I, 149)

Pour éclairer davantage la nature spécifique de cette phase de la création du poème, le fondateur de la « poïétique » forge, sur le modèle de l'expression « plainte contre inconnu », la formule * « demande à inconnu » (I, 212), espèce de question muette, posée par le poète

> [...] aux ressources latentes de son organisation de parleur — cependant que je ne sais quelle *force chantante* exige de lui ce que la pensée toute nue ne peut obtenir que par une foule de combinaisons successivement essayées. Le poète choisit parmi celles-ci, non point celle qui exprimerait le plus fidèlement sa « pensée » (c'est l'affaire de la prose) et qui lui répéterait donc ce qu'il sait déjà ; mais bien celle qu'une pensée à soi seule ne peut produire et qui lui paraît à la fois étrange et étrangère, précieuse, et solution unique d'un problème qui ne s'énonce qu'une fois résolu. (I, 212)

Plus concrètement, cette attente qui sait choisir est comme un aimant qui attire à soi d'une manière quasi magique les grains de poésie mêlés à une poussière hétérogène :

> Nous nous présentons notre désir comme l'on oppose un aimant à la confusion d'une poudre composée, de laquelle un grain de fer se démêlera tout à coup. Il semble qu'il y ait dans cet ordre des choses mentales, quelques relations très mystérieuses *entre le désir et l'événement*. Je ne veux pas dire que le désir de l'esprit crée une sorte de champ, bien plus complexe qu'un champ magnétique, et qui eût le pouvoir d'appeler ce qui nous convient. Cette image n'est qu'une manière d'exprimer un fait d'observation [...]. (I, 1353)

L'attente, alertée par une association d'idées ou de sensations, peut aboutir aussi bien au poème, qu'à l'analyse réflexive :

[...] un rapprochement brusque d'idées, une analogie me saisissait, comme un appel de cor au sein d'une forêt fait dresser l'oreille, et oriente virtuellement tous nos muscles qui se sentent coordonnés vers quelque point de l'espace et de la profondeur des feuillages. Mais, cette fois, au lieu d'un poème, c'était une analyse de cette sensation intellectuelle subite qui s'emparait de moi.

(I, 1319)

Les vers et les formules de la pensée procèdent — du moins chez Valéry et selon Valéry — d'une même sollicitation :

Tout peut naître ici bas d'une attente infinie.
(*La Jeune Parque* ; I, 98)

Appelées donc par l'intensité du désir, les « *puissances de l'âme* » (II, 96), les « Idées » ou les images arrivent en foule bigarrée, « *toutes chargées de clarté et d'erreur* » (97), et assaillent de leurs ailes l'esprit du poète. Un arrêt et un tri s'imposent ! Il faut « *que je tempère et que j'interrompe la naissance même des Idées* ».

Dans un « poème abandonné », tout comme dans un « *Prologue* » de Louis Bouilhet[22], ces « oiseaux » métamorphosent le poète en oiseleur. En outre, y mêlant la métaphore de « voiliers » en perdition, Valéry transforme sa volière en havre...

[...] Vers vous, ô mes belles images,
Mes bras tendent toujours l'insatiable port !
Venez, effarouchés, hérissant vos plumages,
Voiliers aventureux que talonne la mort !
Hâtez-vous, hâtez-vous !... La nuit presse !... [...]
(« *Profusion du soir, poème abandonné* » ; I, 89)

Les mêmes « Idées », « *Maîtresses de l'âme* » (I, 112), s'adonnent, pendant le sommeil nocturne du poète, à un travail d'araignées diligentes, enveloppant tout dans leur « *trame ténue* » et tissant des simulacres de lumière sur les énigmes de la veille. Mais ce n'est là qu'un fragile et éphémère labeur préparatoire. La forme sonore et définitive de son futur poème, le poète va la chercher ailleurs, dans le fouillis de ses sensations :

> Leur toile spirituelle,
> Je la brise, et vais cherchant
> Dans ma forêt sensuelle
> Les oracles de mon chant.

> (« *Aurore* » ; I, 112)

La démarche inverse, de la « forêt sensuelle » aux « Idées », est également consignée par Valéry dans « *Le Rameur* ».

On fuit d'abord la perception directe du paysage environnant :

> Penché contre un grand fleuve, infiniment mes rames
> M'arrachent à regret aux riants environs ;   (I, 152)

On s'en arrache même aux reflets :

> Arbres sur qui je passe, ample et naïve moire,
> Eau de ramages peinte, et paix de l'accompli,
> Déchire-les, ma barque, impose-leur un pli
> Qui coure du grand calme abolir la mémoire. (I, 153)

Ensuite, objets et reflets se dissolvent à leur tour dans les ombres, les murmures et les courants d'air des « *ponts annelés* » (I, 153), sous lesquels continue de glisser le rameur en figure de proue. Tous ces frémissements

> [...] courent sur un front qu'ils écrasent d'ennui,
> Mais dont l'os orgueilleux est plus dur que leur porte.

> (I, 153)

Abandonnant tout le monde extérieur à la nuit envahissante, l'âme du rameur s'enfonce en elle-même, « *au mépris de tant d'azur oiseux* » (I, 153), par un mouvement qui évoque en même temps la fuite de Mallarmé et le plongeon mystique...

Désespérant d'aboutir par l'analyse en termes abstraits à une représentation complète et claire des opérations intérieures qui conduisent au poème et qui sont toutes dominées par une attente et une attention *sui generis,* Valéry recourt encore une fois à l'image de l'araignée, dont il exploite presque tous les traits susceptibles de devenir allégoriques :

> J'imagine ce poète un esprit plein de ressources et de ruses, faussement endormi au centre imaginaire de son œuvre encore incréée, pour mieux attendre cet instant de sa propre puissance qui est sa proie. Dans la vague profondeur de ses yeux, toutes les forces de son désir, tous les ressorts de son instinct se tendent. Là, attentive aux hasards entre lesquels elle choisit sa nourriture ; là, très obscure au milieu des réseaux et des secrètes harpes qu'elle s'est faites du langage, dont les trames s'entre-tissent et toujours vibrent vaguement, une mystérieuse Arachné, muse chasseresse, guette.   (I, 484)

Une fois de plus l'analogie valéryenne est tellement explicite qu'elle se dispense de tout commentaire purement sémantique. En revanche il nous est difficile de ne pas remarquer que la perfection de l'ajustement du signifié et du signifiant n'est pas de nature uniquement logique. Il y a une identification subjective de l'auteur à la figure allégorique, il y a une convergence des moyens de style qui transforment l'analogie en un court poème de musique à programme. Par exemple, le mouvement syntaxique de la dernière période citée, avec ses trois spires aboutissant toujours au centre arachnéen (« *là* [...], *là* [...], [...] *guette* ») évoque aussi bien le dessin polygonal des fils, les déambulations giratoires de l'araignée que ses regards circulaires, tandis que certaines sonorités du texte (« *vibrent vaguement* », etc.) suggèrent à la fois le tremblement de la trame et les virtualités phoniques du poème.

Évidemment, l'assimilation de l'œuvre poétique à la toile d'araignée révèle une conception structuraliste que nous avons déjà relevée à trois reprises, au moins, chez Valéry, dans « Memnon-Tityre », l'« Arbre », le « Coquillage ». Mais, sauf dans la première de ces allégories, partout ailleurs Valéry découvre des structures ayant un auteur, et on peut lui appliquer entièrement ce que Georges Poulet dit à propos de Jean Rousset, d'autant plus que l'exemple d'œuvre structurée choisi par G. Poulet se trouve être justement la toile d'araignée : « *Il n'y a pas à ses yeux de système de l'œuvre dans un esprit systématiseur qui travaille en corrélation avec cette œuvre et qui y est même inclus. Bref, il n'y a pas de toile d'araignée sans un centre qui est l'araignée.* »[23].

Cependant, ce symbole qui paraît si valéryen, il est possible que Valéry l'ait pris à Mallarmé, qui, dans une lettre de 1864 adressée à Aubanel, écrivait :

Ciel [*Clef ?*] de voûte ou centre, si tu veux, pour ne pas nous brouiller de métaphores, centre de moi-même où je me tiens comme une araignée se tient sur les principaux fils déjà *sortis* de mon esprit et à l'aide desquels, je tisserai *aux points de rencontre* de merveilleuses dentelles que je devine et qui existent déjà dans le sein de la beauté... (I, 678)

Avant Mallarmé et Valéry il n'y a presque pas d'écrivains qui aient fait de l'araignée une allégorie en règle du poète. Et pour cause. Outre le fil qu'elle tire d'elle-même et dont elle tisse sa toile dans des coins solitaires, il n'y a pas grand-chose qui la désigne à devenir une image flatteuse ou prestigieuse de l'artisan de poésie. Tout au contraire, son aspect physique, son métier de piégeur, sa piqûre paralysante, son entomophagie — en sont autant de contreindications. On ne pourrait citer au XIXᵉ siècle que Michelet [24], Henri de Latouche [25] et François Coppée [26], qui aient comparé, tout à fait furtivement, le travail caché et le tissu ornemental de l'aranéide au labeur et à l'œuvre d'un artiste des mots. De nos jours, un grand poète a fait une place considérable à cette image dans son œuvre : Francis Ponge [27]. Mais cela déborde notre présent propos [28].

Le trait analogique central de cette image semble être la toile dont les fils sont sécrétés et ourdis par l'araignée elle-même : « *Ô combinaisons infinies, énigmes, paraboles, récits mystérieux dont le conteur pareil à l'araignée tire le fil de soi-même* [...] » (II, 424-5). Cependant une lecture attentive des analyses de Valéry indique que pour celui-ci le trait essentiel de l'image devait être l'attente.

Dans les considérations sur le philosophe tel qu'il est peint par Rembrandt, la figure de l'araignée n'est que suggérée par quelques détails matériels du tableau, comme le « *soleil captif* » (I, 852) ou le poste stratégique occupé par le « *petit être* ». En échange Valéry souligne au sens propre du mot ce qui lui semble être le thème du tableau, « *l*'attente de l'idée ». Et qu'on ne vienne pas nous objecter qu'il s'agit là de méditation philosophique : Valéry a assez répété que le penseur et le poète coïncident dans leur point de départ et leurs premières démarches. Mais voici le passage où l'on peut déceler en transparence le coin d'une araignée :

L'inégalité de la distribution de la lumière, la forme de la région éclairée, le domaine borné de ce soleil captif d'une cellule où il [*le peintre*] définit et situe quelques objets et en laisse d'autres confusément mystérieux, font pressentir que l'*attention* et l'*attente de l'idée* sont le sujet véritable de la composition. La figure même du petit être pensant est remarquablement située par rapport à la figure de la lumière. (I, 852)

Cela dit, il faut reconnaître que dans la première partie de ce même commentaire sur les philosophes de Rembrandt que nous venons de citer, l'image très apparente que Valéry dessine est celle d'un petit mollusque au fond de son coquillage hélicoïdal. Mais on y reviendra.

L'attente désireuse et créatrice, qui agit souvent à distance comme un « *effet de résonance* » (I, 212), est encore analogue à l'état d'âme de l'amoureux qui attend la femme aimée en train de s'approcher, ou qui la contemple, toute proche :

Si, de tes lèvres avancées,
Tu prépares pour l'apaiser,
À l'habitant de mes pensées
La nourriture d'un baiser,

Ne hâte pas cet acte tendre,
Douceur d'être et de n'être pas,
Car j'ai vécu de vous attendre,
Et mon cœur n'était que vos pas.

(« Les Pas » ; I, 120-1)

Le même délicieux prolongement de l'attente et du désir est recherché par le consommateur raffiné de poésie.

Aux cœurs profonds ne suffit point
D'un regard, qu'un baiser rejoint,
Pour qu'on vole au plus vif d'une brève aventure...
(« Le Philosophe et "La Jeune Parque" » ; I, 164)

On peut distinguer une allusion à la même analogie dans d'autres poèmes, tels que « *L'Insinuant* », qui ajoute le détour à l'attente :

Ô Courbes, méandre,
Secrets du menteur,
Je veux faire attendre
Le mot le plus tendre.   (I, 137)

ou « *Le Sylphe* », qui évoque en même temps le jeu du hasard et du génie dans l'instantané de la trouvaille poétique :

Ni vu ni connu,
Le temps d'un sein nu
Entre deux chemises !   (I, 137)

La relation entre la beauté d'un crépuscule et le contemplateur « *muet de plaisir* » (I, 121) revêt la forme concrète d'une « *ceinture* » — cordon de liaison ou linceul :

Cette ceinture vagabonde
Fait dans le souffle aérien
Frémir le suprême lien
De mon silence avec le monde...

Absent, présent... Je suis bien seul,
Et sombre, ô suave linceul.   (I, 121)

Devant les appas de la beauté — cette fois de nouveau féminine — le poète semble être retenu par la perfection même de cette beauté, par la forme qui « veille » :

Dormeuse, amas doré d'ombres et d'abandons,
Ton repos redoutable est chargé de tels dons,
Ô biche avec langueur longue auprès d'une grappe,

Que malgré l'âme absente, occupée aux enfers,
Ta forme au ventre pur qu'un bras fluide drape,
Veille ; ta forme veille, et mes yeux sont ouverts.

(« *La Dormeuse* » ; I, 122)

Alliée à la recherche et à la poursuite de l'objet désiré, l'attente se fait chasse.

Outre l'allusion à l'« *arme prodigieuse* » (I, 172) avec laquelle Amphion capturera la proie de la beauté architectonique, Valéry développe cette image dans un discours adressé à des esthéticiens (I, 1294—314).

La chasse du « *monstre de la Fable Intellectuelle* » (I, 1300) dans la « *forêt enchantée du Langage* » constitue le fait aussi bien du philosophe « *qui s'y excite à courre la "vérité"* » (1301) que du poète qui s'y rend pour débusquer ou lever des vers. Mais tout comme leurs gibiers, leurs méthodes de chasse diffèrent de l'un à l'autre. Le premier suit « *une voie unique* », directe, sans un regard pour autre chose que la proie qu'il presse, qu'il traque et qu'il saisit finalement dans « *le bosquet des Notions Pures* » (1300) : l'Idée du Beau, qui n'est du reste que l'ombre du veneur lui-même. « *Gigantesque parfois ; mais ombre tout de même* » (1301).

Le second chasseur, parti à travers les mêmes forêts de paroles, ne rêve que de s'y perdre, « *s'enivrer d'égarement, cherchant les carrefours de signification, les échos imprévus, les rencontres étranges* » (I, 1300), ne craignant « *ni les détours, ni les surprises; ni les ténèbres* ». Sa capture à lui, plus consistante que « *l'ombre* » (1301) du premier, ressemble davantage à ce monstre fabuleux, qui les hante tous deux :

[...] sphinx ou griffon, sirène ou centaure, en qui la sensation, l'action, le songe, l'instinct, les réflexions, le rythme et la démesure se composent aussi intimement

68

que les éléments chimiques dans les corps vivants ; qui parfois nous est offert par la nature, mais comme au hasard, et d'autres fois, formé, au prix d'immenses efforts de l'homme, qui en fait le produit de tout ce qu'il peut dépenser d'esprit, de temps, d'obstination, et en somme, de vie. (I, 1300)

Une fois de plus la « fable » de Valéry n'a besoin d'aucune glose explicative. On devrait tout au plus en dégager cette idée, que l'auteur exprime en passant : le Beau est parfois intégralement un produit de la nature. Et c'est seulement dans ce cas-là que l'allégorie de la chasse garde sa cohérence.

6 | travail créateur
formation et construction,
sécrétion, coquillage,
démiurge, statuaire, Pygmalion,
joaillerie, bricolage, Robinson

En méditant sur certains chefs-d'œuvre plastiques qui se forment dans la nature — cristaux, fleurs ou coquilles —, Valéry relève la différence fondamentale entre la croissance naturelle et la création telle que l'homme peut la pratiquer. À la rigueur l'homme est capable de concevoir la « construction » des objets naturels et de l'imiter ou la reproduire de l'extérieur. Par contre, « *nous ne concevons pas leur formation, et c'est par quoi ils nous intriguent. Bien que faits ou formés nous-mêmes par voie de croissance insensible, nous ne savons rien créer par cette voie* » (I, 887).

En contradiction apparente avec un des traits analogiques de l'araignée-poète, Valéry fait remarquer que « *nos artistes ne tirent point de leur substance la matière de leurs ouvrages* » (I, 904). Et il est vrai que ni le sculpteur ne sculpte son propre squelette ni le peintre ne peint avec son sang et ses sécrétions — au sens propre. Mais un poète protesterait si on lui affirmait qu'il n'a pas tiré de lui-même la substance de son poème. Cependant il est incontestable que les artistes « *ne tiennent la forme qu'ils poursuivent que d'une application particulière de l'esprit, séparable du* tout *de leur*

71

être ». Et cette « séparation », à laquelle Valéry s'est souvent arrêté, a bien l'air d'avoir été observée sur le vif.

Néanmoins, l'auteur de « L'Homme et la coquille » retient deux similitudes dérivées entre un coquillage et une œuvre poétique.

D'abord un sentiment de la perfection qu'on éprouve devant l'exacte adéquation de la forme et de la màtière : « *Peut-être, ce que nous appelons la* perfection *dans l'art* [...] *n'est-elle que le sentiment de désirer ou de trouver, dans une œuvre humaine, cette certitude dans l'exécution, cette nécessité d'origine intérieure, et cette liaison indissoluble et réciproque de la figure avec la matière que le moindre coquillage me fait voir ?* » (I, 904-5).

L'autre ressemblance, également teintée de subjectivisme, c'est le caractère d'œuvre créée par la vie mais d'où la vie elle-même s'est finalement retirée. De même que le mollusque ne se trouve plus dans la coquille que nous recueillons sur une plage, le poète s'est détourné de son poème une fois achevé : « *Il y a chez moi une tendance originelle, invincible, — peut-être détestable, — à considérer l'œuvre terminée, l'objet fini, comme déchet, rebut, chose morte ; parfois sans doute, aussi belle et pure que la conque dont la vie d'un être a formé la nacre et la spire, mais que la vie a quittée, l'abandonnant inerte à la foule des flots.* » (II, 1359).

La même image du « petit animal » (I, 852) sécréteur de poésie ou de pensée se retrouve dans certains commentaires valéryens, que nous avons déjà cités, sur le philosophe mûrissant dans un poêle hollandais que Rembrandt a peint plusieurs fois :

Un rayon de soleil enfermé avec eux éclaire leur chambre de pierre, ou, plus exactement, crée une conque de clarté dans la grandeur obscure d'une chambre. L'hélice d'un escalier en vis [...], la perspective d'une galerie déserte introduisent ou accroissent insensiblement l'impression de considérer l'intérieur d'un étrange coquillage qu'habite le petit animal intellectuel qui en a sécrété la substance lumineuse. L'idée de reploiement en soi-même, celle de *profondeur,* celle de la formation par l'être même de sa sphère de connaissance, sont suggérées par cette disposition qui engendre vaguement, mais invinciblement, des analogies spirituelles.   (I, 852)

À son tour, par son interprétation des toiles de Rembrandt, Valéry suggère des analogies avec le mollusque et avec l'araignée.

En dépit de la distinction scientifiquement établie par l'analyste Valéry lui-même, entre le processus de formation biologique ou minérale et le processus de construction spirituelle, Valéry le poète s'est donc laissé tenter par la ressemblance de la cristallisation, de la croissance, de la sécrétion, de la concrétion et même de l'excrétion, avec la composition du poème. Cédant, en effet, à une tendance « peut-être détestable » — dont nous avons cité plus haut l'aveu — Valéry est allé jusqu'à assimiler l'objet d'art à un « *excrément précieux comme tant d'excréments et de déchets le sont : l'encens, la myrrhe, l'ambre gris...* » (II, 674).

Cependant on aurait tort de ne voir dans cette représentation de l'œuvre d'art qu'une boutade provocatrice. L'idée qui la sous-tend est pour Valéry la manifestation d'une loi qui se vérifie d'abord dans les domaines physique, biologique, psychologique :

Ce qui se voit d'une chose n'est que ce qu'elle rejette. Une chose rouge rejette le rouge, qu'elle n'absorbe pas. [...] Toute chose en est une autre qui élimine la première. La pensée ? La sensation ? Jusque dans l'intime

73

de soi, ce qui se livre est (même la plus profonde émanation de l'être) une mise à la porte, une impureté, un élément étranger expulsé de la substance qui se conserve.
(*C*, XXIII, 447-8)

Mais Valéry n'a jamais caché son mépris pour les œuvres issues uniquement d'un épanchement naturel, presque physiologique telles que les poésies d'un Lamartine ou d'un Musset : « Il est des auteurs, et non des moins célèbres, dont les œuvres ne sont qu'*élimination* de leurs émotions. [§] Elles peuvent *toucher* ; mais non *édifier* ceux qui les produisent. Ils n'apprennent pas en les faisant, à faire ce qu'ils ignoraient, à être ce qu'ils n'étaient pas. » (I, 1206).

Le plus souvent pour Valéry il n'y a de discours poétique valable qu'élaboré par l'action réfléchie d'un esprit qui « *se divise contre lui-même* » (I, 1205). L'étymologie même du mot *poésie* — le rappeler est devenu presque rituel — renvoie au concept d'action. Et le modèle par excellence, l'archétype de toute action, c'est la création du cosmos, le passage du chaos (ou du néant) à l'ordre. Valéry emprunte ce mythe non à la Genèse judaïque mais aux traditions de la philosophie grecque, qu'il traite avec son humour habituel :

[...] le Démiurge, quand il s'est mis à faire le monde, s'est attaqué à la confusion du Chaos. Tout l'informe était devant lui. Et il n'y avait pas une poignée de matière qu'il pût prendre de sa main dans cet abîme, qui ne fût infiniment impure et composée d'une infinité de substances.
[...] Mettant les mains à la pâte du monde, il en a trié les atomes. Il a divisé le chaud d'avec le froid, et le soir d'avec le matin [...].　　　(II, 143-4)

« *Le grand Formateur* » (II, 143) a été relayé par

l'*homo fictor*, qui « *prend pour origine de son acte, le point même où le dieu s'était arrêté* » (144).

Ayant pour matière première le monde que le Démiurge a tiré du chaos initial, le poète sera à son tour créateur grâce essentiellement à son acte.

Dans toute création poétique il y a :

> [...] d'une part un *état*, parfois une seule sensation productrice de valeur et d'impulsion, état dont le seul caractère est de ne correspondre à aucun terme fini de notre expérience ; d'autre part, *l'acte*, c'est-à-dire la détermination essentielle, puisqu'un acte est une échappée miraculeuse hors du monde fermé du possible, et une introduction dans l'univers du fait ; et cet acte, fréquemment produit contre l'esprit avec toutes ses précisions ; sorti de l'instable, comme Minerve tout armée produite par l'esprit de Jupiter [...]. (I, 1357)

Comme quoi, on passe de la démiurgie platonicienne à une « crâniogenèse » rapportée par la mythologie...

Malgré sa déclaration — qui a fait fortune — « *L'enthousiasme n'est pas un état d'âme d'écrivain.* » (I, 1205), Valéry ne nie à aucun moment le rôle de l'« état », du « brut », du « feu » dans la création poétique. Seulement ce feu doit être surveillé et réglable par le savoir-faire du poète. La main du maître d'un « art du feu »

> [...] qui suscita le feu, qui le nourrit, le pousse, le tempère, guette l'instant unique de lui retirer cette formation incandescente qu'il vient de produire et qu'il va détruire dans l'instant suivant, comme le fait de ses créatures l'aveugle et monotone puissance de la vie.
> C'est de même que le poète doit promptement arracher à son esprit et fixer aussitôt l'accident précieux de son enthousiasme, avant que ce même esprit, *emporté au-delà du plus beau*, le reprenne, le dissolve et refonde dans ses combinaisons infinies. (II, 1242)

Entre parenthèses, à remarquer, dans cette image de l'élaboration de l'œuvre, l'accent que Valéry met sur l'existence d'un point de perfection auquel l'artiste et le poète doivent s'arrêter sous peine d'échouer.

En reprenant l'analogie de la chaleur ou de l'énergie transformable en poésie, il observe encore : « *Quelque grande que soit la puissance du feu, elle ne devient utile et motrice que par les machines où l'art l'engage ; il faut que les gênes bien placées fassent obstacle à sa dissipation totale, et qu'un retard adroitement opposé au retour invincible de l'équilibre permette de soustraire quelque chose à la chute infructueuse de l'ardeur.* » (I, 1205).

Le poète serait donc à la fois source ou réservoir d'énergie spécifique et constructeur de machines de langage. Se confondant même avec les machineries de ses contraintes, l'ingénieur des mots se propose d'empêcher l'entropie naturelle des forces intérieures : « *Entre l'émotion ou l'intention initiale, et ces aboutissements que sont l'oubli, le désordre, le vague, — issues fatales de la pensée, — son affaire est d'introduire les contrariétés qu'il a créées, afin qu'interposées, elles disputent à la nature purement transitive des phénomènes intérieurs, un peu d'action renouvelable et d'existence indépendante...* » (I, 1205).

Avant d'avoir assimilé le poète à un constructeur de machines « *à produire l'état poétique au moyen des mots* » (I, 1337), Valéry l'avait comparé mythologiquement au bâtisseur de cités à l'aide de la musique. Cependant l'ajusteur de paroles, ces « *quantités complexes* » (1338), est comparable à l'ajusteur de « blocs irréguliers », même sans passer par l'intermède du joueur de lyre. L'auteur de la conférence « Poésie et pensée abstraite » avoue à ses auditeurs : « [...] *mon travail* [de poète] *exigeait de moi, non*

seulement cette présence de l'univers poétique [id
est l'état poétique] *dont je vous ai parlé, mais quantité de réflexions, de décisions, de choix et de
combinaisons, sans lesquelles tous les dons possibles
de la Muse ou du Hasard demeuraient comme des
matériaux précieux sur un chantier sans architecte.* » (I, 1336-7).

Mais de même qu'un constructeur de moteurs
n'est pas obligé, pour effectuer son travail, d'adopter
le régime et la température du moteur qu'il a monté,
et qu'un architecte n'est pas nécessairement bâti en
matériaux de construction, « *Un poète, en tant
qu'architecte de poèmes, est donc assez différent
de ce qu'il est comme producteur de ces éléments
précieux dont toute poésie doit être composée, mais
dont la composition se distingue, et exige un travail
mental tout différent* » (I, 1337).

Un poème que Valéry aurait pu attribuer aussi
bien à son architecte idéal Eupalinos qu'à Amphion
— il figure d'ailleurs, aussi dans le « mélodrame »
homonyme — ou à Léonard de Vinci, « *Cantique
des colonnes* », révèle les affinités, tantôt secrètes,
tantôt éclatantes, de l'architecture, des mathématiques, de la sculpture, de la danse et du *carmen*,
qui est à la fois magie, musique et poésie.

Le chœur à l'unisson des colonnes, épures de
femmes liliales, fières et dévouées — « *servantes sans
genoux* » (I, 117) —, est issu du désir indéfectible,
de l'étude et du travail indéfiniment repris, obéis-
sant aux lois de la physique, de l'eurythmie et de
l'euphonie :

Filles des nombres d'or,
Fortes des lois du ciel,
Sur nous tombe et s'endort
Un dieu couleur de miel.   (I, 117)

Suprême offrande à une perfection déifiée, la beauté des colonnes traverse, incorruptible, les millénaires et marque ineffablement les « fables » de l'humanité.

On pourrait, certes, commenter la poétique impliquée dans ce poème, notamment la théorie de l'art difficile, seul capable de produire une beauté pérenne, par le manifeste que Théophile Gautier avait publié un peu plus d'un demi-siècle auparavant :

Oui, l'œuvre sort plus belle
D'une forme au travail
    Rebelle,
Vers, marbre, onyx, émail.
[...]
Statuaire, repousse
L'argile que pétrit
    Le pouce
Quand flotte ailleurs l'esprit ;

Lutte avec le carrare,
Avec le paros dur
    Et rare,
Gardiens du contour pur ;
[...]
Tout passe. — L'art robuste
Seul a l'éternité.

(« L'Art »[29])

Mais Valéry a eu soin de se commenter lui-même dans une analogie aboutissant au mythe de Pygmalion, dont s'était également servi le contemporain de Gautier, Théodore de Banville[30]. Les métaphores employées par le poète des « Colonnes » sont les mêmes que celles de ces premiers Parnassiens :

Cent figures d'argile, si parfaites qu'on les ait pétries, ne donnent pas à l'esprit la même grande idée qu'une seule de marbre à peu près aussi belle. [...] Nous imaginons comme elle a résisté au statuaire ; elle ne voulait pas sortir de ses ténèbres cristallisées. Cette bouche, ces bras, ont coûté de longs jours. Un artiste a frappé des milliers de coups rebondissants, lents interrogateurs de la forme future. L'ombre serrée et pure est tombée en éclats, elle a fui en poudre étincelante. Un homme s'est avancé, au moyen du temps, contre une pierre ; il s'est glissé difficilement le long d'une amante si profondément endormie dans l'avenir, et il a contourné cette créature peu à peu circonvenue, qui se détache enfin de la masse de l'univers, comme elle fait de l'indécision de l'idée. La voici un monstre de grâce et de dureté, né, pour un temps indéterminé, de la durée et de l'énergie d'une même pensée. Ces alliances si rebelles sont ce qu'il y a de plus précieux.   (I, 479)

Outre la résistance bénéfique de la matière, Valéry relève l'existence virtuelle de la statue dans les « *ténèbres cristallisées* » (I, 479) de la pierre — le poème latent dans le langage — les efforts amoureux de l'artiste s'obstinant à dégager sa créature à la fois de l'abstraction du projet et de l'informe minéral, enfin la valeur d'une œuvre qui, à la durée objective, spatio-temporelle, allie « *l'énergie d'une même pensée* », maintenue pendant tout le processus créateur.

Sans insister sur l'amour du sculpteur pour la femme sculptée, comme l'ont fait ceux qui, avant lui, ont présenté diverses versions du mythe de Pygmalion et de Galatée, sans s'inquiéter davantage du caractère métaphoriquement incestueux de cet amour, Valéry s'arrête longuement sur la signification « enfantement » contenue dans le mythe. Pygmalion « accouche » de Galatée un peu comme Zeus « accouche » d'Athéna. Et pour enlever ce qu'il y aurait de choquant dans cette sorte d'« androgenèse », l'auteur profite du genre grammatical de

« l'âme » et de la Psyché hellénique pour changer la paternité en maternité :

Une grande âme a cette faiblesse pour signe, de vouloir tirer d'elle-même quelque objet dont elle s'étonne, qui lui ressemble, et qui la confonde, pour être plus dur, plus incorruptible, et en quelque sorte plus nécessaire que l'être même dont il est issu. Mais à soi seule, elle n'enfante que le mélange de sa facilité et de sa puissance, entre lesquelles elle ne distingue pas aisément ; elle se restitue le bien et le mal ; elle fait ce qu'elle veut, mais elle ne veut que ce qu'elle peut ; elle est libre, et non souveraine. (I, 479-80)

Ensuite, pour mieux plaider contre l'abandon à la facilité et pour mieux prôner les vertus des obstacles à surmonter, le poète de *La Jeune Parque* — alias « Psyché » — revient à l'art statuaire :

Il faut essayer, Psyché, d'user toute votre facilité contre un obstacle ; adressez-vous au granit, animez-vous contre lui, et désespérez quelque temps. Voyez vos vains enthousiames choir, et vos intentions déconcertées. Peut-être, n'êtes-vous pas encore assez assagie pour préférer votre décision à vos complaisances. Vous trouvez cette pierre trop dure, vous rêvez de la mollesse de la cire, et de l'obéissance de l'argile ? Mais suivez le chemin de votre pensée irritée, bientôt vous rencontrerez cette inscription : « *Il n'est rien de si beau que ce qui n'existe pas.* » (I, 480)

En matière de poétique, un exemple de difficulté à vaincre, ce sont les entraves de la versification qui confèrent au langage les propriétés d'une matière résistante : « [...] *nos voluptés, ni nos émotions, ne périssent, ni ne pâtissent de s'y soumettre : elles se multiplient, elles s'engendrent aussi, par des disciplines conventionnelles* » (I, 481) de la même nature que les règles des jeux ou des sports.

Ces rigueurs à force de loi, ou bien on les hérite d'une tradition artistique, ou bien on se les invente soi-même. Ce sont des matrices ou des moules.

Malgré son peu de considération pour le moulage en cire, Valéry n'a pas dédaigné de se servir de ce qu'on appelle en termes techniques « le moule en cire perdue » pour illustrer une première phase de l'élaboration poétique :

[...] j'ai vu, un jour, telle touffe de roses, et j'en ai fait une cire. Cette cire achevée, je l'ai mise dans le sable. Le Temps rapide réduit les roses à rien ; et le feu rend promptement la cire à sa nature informe. Mais la cire, ayant fui de son moule fomenté et perdue, la liqueur éblouissante du bronze vient épouser dans le sable durci, la creuse identité du moindre pétale...   (II, 97)

Et Phèdre de traduire ainsi ce « mythe » proposé par Eupalinos :

Ces roses qui furent fraîches, et qui périssent sous tes yeux, ne sont-elles pas toutes choses, et la vie mouvante elle-même ? Cette cire que tu as modelée, y imposant tes doigts habiles, l'œil butinant sur les corolles et revenant chargé de fleurs vers ton ouvrage, — n'est-ce pas là une figure de ton labeur quotidien, riche du commerce de tes actes avec tes observations nouvelles ? — Le feu, c'est le Temps lui-même, qui abolirait entièrement, ou dissiperait dans le vaste monde, et les roses réelles et tes roses de cire, si ton être, en quelque manière, ne gardait, je ne sais comment, les formes de ton expérience et de solidité secrète de sa raison... Quant à l'airain liquide, certes, ce sont les puissances exceptionnelles de ton âme qu'il signifie, et le tumultueux état de quelque chose qui veut naître. Cette foison incandescente se perdrait en vaine chaleur et en réverbérations infinies, et ne laisserait après soi que des lingots ou d'irrégulières coulées, si tu ne savais la conduire, par des canaux mystérieux, se refroidir et se répandre dans les nettes matrices de ta sagesse. Il faut donc nécessairement que ton être se divise, et se fasse, dans le même instant, chaud et froid, fluide et solide, libre et lié, — roses, cire, et le feu ; matrice et métal de Corinthe. (II, 97-8)

L'image de la coulée du métal en fusion — métaphore chère à Hugo [31] — a ici pour but principal de mettre en lumière, tout comme l'allégorie du constructeur de machines — la complexité des opérations créatrices, souvent antagonistes, mais dialectiquement convergentes dans une même finalité.

Dans la machine productrice de beauté, l'organisme physique de l'artiste joue un rôle égal à celui de « l'âme ». Du long hymne au corps qu'Eupalinos entonne devant Phèdre et Socrate nous extrayons la partie finale, où l'architecte chante l'union des deux hypostases de l'être créateur dans la construction du chef-d'œuvre :

» Mon intelligence mieux inspirée ne cessera, cher corps, de vous appeler à soi désormais ; ni vous, je l'espère, de la fournir de vos présences, de vos instances, de vos attaches locales. Car nous trouvâmes enfin, vous et moi, le moyen de nous joindre, et le nœud indissoluble de nos différences : c'est une œuvre qui soit fille de nous. Nous agissions chacun de notre côté. Vous viviez, je rêvais. Mes vastes rêveries aboutissaient à une impuissance illimitée. Mais cette œuvre que maintenant je veux faire, et qui ne se fait pas d'elle-même, puisse-t-elle nous contraindre de nous répondre, et surgir uniquement de notre entente ! Mais ce corps et cet esprit, mais cette présence invinciblement actuelle, et cette absence créatrice qui se disputent l'être, et qu'il faut enfin composer ; mais ce fini et cet infini que nous apportons, chacun selon sa nature, il faut à présent qu'ils s'unissent dans une construction bien ordonnée ; et si, grâce aux dieux, ils travaillent de concert, s'ils échangent entre eux de la convenance et de la grâce, de la beauté et de la durée, des mouvements contre des lignes, et des nombres contre des pensées, c'est donc qu'ils auront découvert leur véritable relation, leur acte. Qu'ils se concertent, qu'ils se comprennent au moyen de la matière de mon art ! Les pierres et les forces, les profils et les masses, les lumières et les ombres, les groupements artificieux, les illusions de la perspective et les réalités de la pesanteur, ce sont les objets de leur commerce, dont le lucre soit enfin cette incorruptible richesse que je nomme Perfection. » (II, 100)

Une autre image du poète dont le trait dominant est le travail constructif et artistique, c'est la figure du maître-joaillier cumulant les activités d'un prospecteur et, au besoin, d'un fondeur :

Toutes les choses précieuses qui se trouvent dans la terre, l'or, le diamant, les pierres qui seront taillées, s'y trouvent disséminés, semés, avarement cachés dans une quantité de roche ou de sable, où le hasard les fait parfois découvrir. Ces richesses ne seraient rien sans le travail humain qui les retire de la nuit massive où elles dormaient, qui les assemble, les modifie et les organise en parures. Ces parcelles de métal engagées dans une matière informe, ces cristaux de figure bizarre doivent prendre tout leur éclat par le labeur intelligent. C'est un labeur de cette espèce qu'accomplit le véritable poète.
(I, 1334-5)

Dans « Propos sur la Poésie » (I, 1377), Valéry développe la même comparaison en en inversant les termes. Il y revient encore dans d'autres contextes pour en relever des aspects particuliers, comme l'importance du tri :

[...] l'esprit nous souffle sans vergogne un million de sottises pour une belle idée qu'il nous abandonne ; et cette chance même ne vaudra finalement quelque chose que par le traitement qui l'accommode à notre fin. C'est ainsi que les minerais, inappréciables dans leurs gîtes et dans leurs filons, prennent leur importance au soleil, et par les travaux de la surface. (I, 1208)

Faute d'opérer un tri, le poète risque de produire des œuvres inégales, « *curieusement bâties d'or et de boue : d'éblouissants détails quoique toutes chargées, le temps désagrège bientôt et entraîne l'argile ; il ne reste que quelques vers de bien des poèmes* » (I, 654).

Reprenant la variété « diamantaire » de ce genre d'images, Valéry s'en sert d'abord pour suggérer la richesse hypothétique du gisement autour duquel le chercheur « brûle » et fouille avec fébrilité et acharnement :

C'est un soupçon de diamant qui perce une masse de « terre bleue » : instant infiniment plus précieux que tout autre, et que les circonstances qui l'engendrent ! Il excite un contentement incomparable et une tentation immédiate ; il fait espérer que l'on trouvera *dans son voisinage* tout un trésor dont il est le signe et la preuve ; et cet espoir engage parfois son homme dans un travail qui peut être sans bornes. [32] (I, 1490)

De même que cet explorateur d'un sable diamantifère, le tailleur de diamants n'est pas une image très neuve du poète. Mais en focalisant le faisceau de ses observations en un point resté en ombre dans ces clichés, Valéry leur restitue une originalité certaine.

C'est ainsi que dans la seconde de ces deux métaphores, il retient, dans l'art du diamantaire, une particularité susceptible d'illustrer un caractère spécifique de la poésie, cette « intransitivité » que le même Valéry a tenté d'évoquer aussi par le mouvement pendulaire auquel le son et le sens d'un poème obligent l'esprit du lecteur : « *Le tailleur de diamant en façonne les facettes de manière que le rayon qui pénètre dans la gemme par l'une d'elles ne peut en sortir que par la même — D'où le feu et l'éclat.* » (I, 298) — effets d'une savante exploitation des propriétés optiques du cristal donné : angle de réflexion extérieure et intérieure, indice de réfraction, pouvoir de dispersion. « *Belle image* », continue Valéry, visiblement content de l'avoir découverte, « *de ce que je pense sur la poésie : retour du rayon spirituel aux mots d'entrée* ».

Avec la précision technique de ce rapprochement, qui fait réellement avancer dans la connaissance de la beauté poétique, on est loin de tous les poncifs que d'autres poètes, notamment les Parnassiens, ont pu tirer des lapidaires.

Substituant à la « terre bleue » des diamants ou aux ténèbres des strates géologiques le fond de cale d'un navire échoué, Valéry compare le penseur — l'autre face du poète — au besogneux qui ramène à la lumière et agence les débris d'un monde englouti par l'obscurité : « *L'effort de l'homme qui pense transporte de la rive des ombres à la rive des choses, les fragments de rêves qui ont quelque forme par quoi on les puisse saisir, quelque ressemblance ou utilité.* » (I, 379). Écumeur d'épaves doublé d'un bricoleur, le poète s'adonne à un travail de Robinson : « *Le vaisseau plein de rêves échoue sur les récifs de la veille. Robinson s'efforce d'en ramener quelque chose de prix sur le rivage. Il peine.* »

La parabole est reprise dans « Petite lettre sur les mythes » : « *Je suis un misérable Robinson dans une île de chair et d'esprit tout environnée d'ignorance, et je me crée grossièrement mes ustensiles et mes arts.* [...] *et sans doute, comme le Robinson, je ne règne que sur mes singes et mes perroquets intérieurs ; [...].* » (I, 961). C'est là le sujet *in nuce* d'une œuvre analogue à *Monsieur Teste* et dont Valéry —

comme on le sait — a laissé des ébauches.

Presque rien ne s'oppose à considérer le bricoleur insulaire comme une variante plus modeste de l'antique démiurge. De toute façon, ce n'est pas Claude Lévi-Strauss qui y trouverait à redire...

En revenant aux dépôts profonds et obscurs où puisent leurs matériaux les bricoleurs, les joailliers, les sculpteurs, les bâtisseurs et les arbres, on y découvre aussi une des sources avouées de *La Jeune Parque*. À ceux qui se plaignaient de l'obscurité de ce poème, l'auteur répond que c'est là un effet des profondeurs d'où le poème a été tiré et qui sont communes à tous les humains :

> Connaissez donc en vous le fond de mon discours :
> C'est de vous que j'ai pris l'ombre qui vous éprouve.
> Qui s'égare en soi-même aussitôt me retrouve.
> Dans l'obscur de la vie où se perd le regard,
> 　Le temps travaille, la mort couve,
> 　　Une Parque y songe à l'écart.
> 　　(« *Le Philosophe et "La Jeune Parque"* » ; I, 165)

Comme n'importe quel psychanalyste, Valéry affirme que c'est là l'origine des « biens suprêmes ». Au vers de sa réponse :

> Un trésor ténébreux fait l'éclat de vos jours :　(I, 165)

qui est l'équivalent de « *rendre la lumière / Suppose d'ombre une morne moitié* » (« *Le Cimetière marin* » ; I, 148) et duquel on pourrait rapprocher cette phrase de Jean Onimus : « *Les mots ont besoin d'ombre pour rayonner* » [33], le défenseur de l'ombre originelle de la poésie ajoute cet aphorisme, magnifique de vérité et de concision :

> Un silence est la source étrange des poèmes.　(I, 165)

Source et aboutissement — ce qui ne serait pas sans rappeler le mot de Paul Claudel se voulant « *semeur de silence* » [34].

Avant de conseiller avec humour au lecteur, éventuellement effrayé par l'hermétisme du poème, d'en abandonner la lecture, Valéry met dans la bouche de sa Jeune Parque une réplique empruntée à la divine Amante du Cantique des Cantiques : « Je suis noire, mais je suis belle ». C'est la variante enjouée, optimiste, de la même image par laquelle, à l'aube, Mallarmé présentait sa sombre « *Hérodiade* », « *l'enfant d'une nuit d'Idumée* » [35].

7 | *action rituelle*
magie, alchimie,
jeu, fête,
équitation, danse

É TYMOLOGIQUEMENT « action », la poésie est également magie, *carmen*, simulation symbolique,
stylisée d'une action.

C'est d'ailleurs toujours l'étymologie qui fournirait
les preuves — s'il en était encore besoin — du lien
primitif entre l'action effective et la sorcellerie : dans
deux langues romanes périphériques — on sait que
les périphéries d'un domaine linguistique sont plus
conservatrices que le centre —, en portugais et en
roumain, certaines pratiques d'envoûtement sont
désignées par le verbe latin *facere* et ses dérivés.

Paul Valéry, dont les efforts d'analyse tendaient à
réduire partout la part de l'indéfinissable et de
l'inexplicable, a cependant toujours reconnu qu'il y
avait dans les choses de la poésie un résidu irréductible à la raison. Et pourtant, à l'exception du
titre *Charmes*, de l'influence magique de ses musi-
ciens, des formules telles que la « *Magie du Verbe* »
(I, 1791) ou l'« *Alchimie de la Beauté* » (1792), qui
rappellent la « magie suggestive » de Baudelaire et
l'« alchimie du verbe » de Rimbaud, devenues lieux
communs de la rhétorique symboliste, il n'y a pas
dans l'œuvre valéryenne des représentations figurées
de l'incantation poétique.

Tout au plus trouverait-on une allusion aux transmutations alchimiques — mais aussi chimiques — dans quelque remarque sur l'essence de la poésie : « *La poésie, [...] n'est-elle point aussi le jeu suprême de la transmutation des idées ?...* » (I, 633).

L'analogie de l'opération créatrice de poésie à un jeu est fondée, pour Valéry, sur le caractère, à la fois conventionnel, contraignant et stimulant, du système de règles commun aux deux activités, poétique et ludique.

Parmi les jeux, celui qui offre le plus grand nombre de similitudes non seulement avec le travail artistique mais avec toutes les occupations de l'homme, y compris la vie elle-même — « partie perdue d'avance » —, c'est le jeu de cartes, « *type de combinaison du hasard avec les données, l'orientation, la volonté, la subtilité, le calcul* » « *Il y a un objet, but, gain — de prix variable ; il y a des règles, c['est]-à-d[ire] des actes à faire, d'autres défendus, d'autres à ne pas faire sans risques. Il y a les données initiales, cartes reçues, premier à jouer et l'adversaire — et le partenaire* » (C, X, 706).

Mais c'est le jeu des échecs qui fait le mieux voir l'espèce de champ magique ou magnétique engendré par un système de conventions inconditionnellement acceptées :

Considérez les joueurs, tout le mal que leur procurent, tout le feu que leur communiquent leurs bizarres accords, et ces restrictions imaginaires de leurs actes : ils voient invinciblement leur petit cheval d'ivoire assujetti à certain bond particulier sur l'échiquier ; ils ressentent des champs de force et des contraintes invisibles que la physique ne connaît point. Ce magnétisme s'évanouit avec la partie, et l'excessive attention qui l'avait si longuement soutenu se denature et se dissipe

comme un rêve... La réalité des jeux est dans l'homme
seul. (I, 481)

Composer une structure poétique peut paraître
aussi gratuit et aussi futile que faire des ronds dans
l'eau. Mais là encore Valéry introduit des lois : « *Il
faut jeter des pierres dans les esprits, qui y fassent
des sphères grandissantes ; et les jeter au point le
plus central, et à intervalles harmoniques.* » (II, 679).
Le jeu porté à sa forme la plus complète et la
plus radicale, c'est la fête :

Un poème doit être une fête de l'Intellect. Il ne peut
être autre chose.
Fête : c'est un jeu, mais solennel, mais réglé, mais
significatif ; image de ce qu'on n'est pas d'ordinaire, de
l'état où les efforts sont rythmes, rachetés.
On célèbre quelque chose en l'accomplissant ou la
représentant dans son plus pur et bel état.
Ici la faculté du langage, et *son phénomène inverse,*
la compréhension, l'identité de choses qu'il sépare. On
écarte ses misères, ses faiblesses, son quotidien. On
organise tout le *possible* du langage.
La fête finie, rien ne doit rester. Cendres, guirlandes
foulées. (II, 546-7)

À ce désenchantement *post festum,* à ces cendres
finales, on peut heureusement opposer une autre
image valéryenne du poème, le phénix, que nous
relevons un peu plus loin.
Par le grand jeu de la poésie, ce qu'il y a de plus
musicalement épuré dans l'homme passera dans ce
qu'il y a de plus musicalement épuré dans le
langage.
Le travail préparatoire, exercé par le projet, par
l'intelligence et la volonté du poète sur les données
de la « nature », ressemble aux exercices d'équitation. Les premières difficultés « *sont comme une*

œuvre préalable de l'auteur : elles sont l'œuvre de son "idéal". Cette œuvre intérieure précède, gêne, suspend, défie l'œuvre sensible, l'œuvre des actes. C'est ici que le caractère et l'intelligence traitent parfois la nature et ses forces comme l'écuyer traite le cheval » (II, 480).

Mais l'art des mouvements corporels qui offre à Valéry le plus d'analogies avec l'art des vers c'est la danse.

Très tôt l'auteur de « L'Âme et la danse » a remarqué que la Poésie est à la Prose ce que la Danse est à la Marche, tout en sachant que d'autres l'avaient également observé : « Ce parallèle m'a frappé et séduit depuis longtemps ; mais quelqu'un l'avait vu avant moi. Malherbe, selon Racan, en faisait usage. » (I, 1330).

Comme la marche, la prose est donc utilitaire, transitive :

La marche [...] est un acte dirigé vers quelque chose que notre but est de joindre. Ce sont des circonstances actuelles, comme le besoin d'un objet, l'impulsion de mon désir, l'état de mon corps, de ma vue, du terrain, etc., qui ordonnent à la marche son allure, lui prescrivent sa direction, sa vitesse, et lui donnent un *terme fini*. Toutes les caractéristiques de la marche se déduisent de ces conditions instantanées et qui se combinent *singulièrement* chaque fois. Il n'y a pas de déplacements par la marche qui ne soient des adaptations spéciales, mais qui chaque fois sont abolies et comme absorbées par l'accomplissement de l'acte, par le but atteint.

[...]

[...] Il en est tout à fait de même du langage utile : le langage qui vient de me servir à exprimer mon dessein, mon désir, mon commandement, mon opinion, ce langage qui a rempli son office, s'évanouit à peine arrivé. Je l'ai émis pour qu'il périsse, pour qu'il se transforme radicalement en autre chose dans votre esprit ;

et je connaîtrai que je fus *compris* à ce fait remarquable que mon discours n'existe plus : il est remplacé entièrement par son sens — c'est-à-dire par des images, des impulsions, des réactions ou des actes qui vous appartiennent : en somme, par une modification intérieure de vous.

Il en résulte que la perfection de cette espèce de langage, dont l'unique destination est d'être compris, consiste évidemment dans la facilité avec laquelle il se transforme en toute autre chose. (I, 1330-1)

La danse, comme la poésie, est gratuite, intransitive, c'est-à-dire qu'elle n'a pas de but en dehors d'elle-même.

[...] Elle ne va nulle part. Que si elle poursuit quelque objet, ce n'est qu'un objet idéal, un état, un ravissement, un fantôme de fleur, un extrême de vie, un sourire [...].

Il s'agit donc, non point d'effectuer une opération finie, et dont la fin est située quelque part dans le milieu qui nous entoure ; mais bien de créer, et d'entretenir en l'exaltant, un certain *état,* par un mouvement périodique qui peut s'exécuter sur place ; mouvement qui se désintéresse presque entièrement de la vue, mais qui s'excite et se règle par les rythmes auditifs. (I, 1330)

Tout comme la danse, le poème n'existe réellement, pleinement, qu'au moment où on l'exécute, on le récite : « [...] *il est alors* en acte. *Cet acte, comme la danse, n'a pour fin que de créer un état ; cet acte se donne ses lois propres ; il crée, lui aussi, un temps et une mesure du temps qui lui conviennent et lui sont essentiels : on ne peut le distinguer de sa forme de durée. Commencer de dire des vers, c'est entrer dans une danse verbale.* » (I, 1400).

De même qu'on se plaît à recontempler une danse et tout chef-d'œuvre d'art plastique, de même qu'on éprouve le besoin de réentendre une musique qu'on aime, de même — et davantage encore — on désire réécouter un vrai poème : « [...] *le poème ne meurt pas pour avoir vécu : il est fait expressément pour renaître de ses cendres et redevenir indéfiniment ce qu'il vient d'être. La poésie se reconnaît à cette propriété qu'elle tend à se faire reproduire dans sa forme : elle nous excite à la reconstituer identiquement.* » (I, 1331).

À côté du phénix, image du poème renaissant sans fin de sa propre expression, Valéry se donne le plaisir malicieux de flanquer une figure fournie par la technique industrielle la plus avancée : « [...] *la forme poétique se récupère automatiquement.* » (I, 1373).

Dans le double contraste de la marche par rapport à la danse et de la prose par rapport à la poésie, Valéry relève une autre identité, d'ailleurs tout à fait manifeste. Ainsi que la marche et la danse se servent « *des mêmes organes, des mêmes os, des mêmes muscles,* [...] *autrement coordonnés et autrement excités* » (I, 1330 ; cf. 1371), prose et poésie emploient le même lexique, la même syntaxe, les mêmes tournures, les mêmes sons et accents, mais différemment combinés et orientés.

La justesse logique de ce chassé-croisé d'analogies, se trouve rehaussée par le lyrisme imagé du dialogue platonicien que Valéry a consacré à la danse et dont nous citons un fragment où la démarche du discours poétique transparaît dans la « marche monumentale » de la danseuse, espèce de récitatif chorégraphique :

Une simple marche, et déesse la voici ; et nous, presque des dieux !... Une simple marche, l'enchaînement le plus simple !... On dirait qu'elle paye l'espace avec de beaux actes bien égaux, et qu'elle frappe du talon les sonores effigies du mouvement. Elle semble énumérer et compter en pièces d'or pur, ce que nous dépensons distraitement en vulgaire monnaie de pas, quand nous marchons à toute fin.   (II, 156-7)

L'image de la monnaie frappée dans un métal précieux et inaltérable est développée ailleurs pour illustrer les qualités — plus particulièrement la souveraine originalité — des créations d'un grand esprit :

Le puissant esprit pareil à la puissance politique, bat sa propre monnaie, et ne tolère dans son secret empire que des pièces qui portent son signe. Il ne lui suffit pas d'avoir de l'or ; il le lui faut marqué de soi. Sa richesse est à son image. Son capital d'idées fondamentales est monnayé à son effigie ; il les a faites ou refondues ; et il leur a donné une forme si nette, il les a frappées dans un or si dur qu'elles circuleront à travers le monde sans altération de leurs caractères et de son coin. (II, 640-1)

Outre des significations déjà signalées (intransitivité, gratuité, stylisation, harmonie, originalité), le tableau de la danseuse fait état de l'effet de la beauté artistique sur ses contemplateurs : délectation extatique, sentiment de plénitude et de totale sécurité.

Valéry pousse même l'homologie danse—poésie jusqu'au détail allégorique. À la pirouette, aux pas et aux autres figures de la chorégraphie correspondent les tropes et tous les procédés poétiques ayant pour but de créer un univers esthétique autonome par rapport au monde ordinaire :

Qu'est-ce qu'une métaphore, si ce n'est une sorte de pirouette de l'idée dont on rapproche les diverses images ou les divers noms ? Et que sont toutes ces figures dont nous usons, tous ces moyens, comme les rimes, les inversions, les antithèses, si ce ne sont des usages de toutes les possibilités du langage, qui nous détachent du monde pratique pour nous former, nous aussi, notre univers particulier, lieu privilégié de la danse spirituelle ?

(I, 1403)

Comme cela a pu être le cas de l'Araignée-Poète, il n'est pas impossible que la Danse-Poème ait été empruntée à Mallarmé :

À savoir que la danseuse *n'est pas une femme qui danse*, pour ces motifs juxtaposés qu'elle *n'est pas une femme*, mais une métaphore résumant un des aspects élémentaires de notre forme, glaive, coupe, fleur, etc., et *qu'elle ne danse pas*, suggérant, par le prodige de raccourcis ou d'élans, avec une écriture corporelle ce qu'il faudrait des paragraphes en prose dialoguée autant que descriptive, pour exprimer, dans la rédaction : poëme dégagé de tout appareil du scribe. [36]

On pourrait considérer qu'une étude des images du phénomène poétique n'a pas à s'occuper des concepts de ce phénomène. Or, parmi les dernières représentations auxquelles Valéry ait eu recours pour éclairer la poésie, il y en a une qui par son aspect non-figuratif tient davantage de l'abstraction que du concret. Cependant cette représentation abstraite du chef-d'œuvre idéal ou absolu — car c'est de cela qu'il s'agit — est tellement significative pour les exigences de la poétique valéryenne qu'on s'est décidé à lui faire un sort ici, en guise de couronnement des figures du Poème.

Nous avons déjà cité « l'inscription infernale » que Valéry plaçait au bout des essais d'une Psyché sculpteur : « *Il n'est rien de si beau que ce qui n'existe pas.* » (I, 480). C'est dans le sens de cette inscription que le poète note dans une espèce de bilan suprême : « [...] *je connus toute la valeur et la beauté, toute l'excellence de* tout ce que je n'ai pas fait » (*C*, XXV, 618).

La beauté parfaite est comme un négatif irréalisable :

mon Âme [...] se sentait comme la forme *creuse* d'un écrin, ou le creux d'un moule — et ce vide (s'*éprouvait*) attendre un objet admirable — une sorte d'épouse matérielle qui ne pouvait pas exister — car cette forme divine, cette absence complète, cet Être qui n'était que Non-Être, et comme l'Être de ce qui ne peut Être, exigeait justement une *matière* impossible, et le creux vivant de cette forme *savait* que cette substance manquait et manquerait à jamais au monde des corps — et des actes. (*C*, XXV, 618)

Outre la comparaison au moule vide aspirant sans espoir à être rempli par une matière impossible, l'existence toute négative, hypothétique mais théologiquement et géométriquement démontrable, de la perfection poétique absolue est suggérée par la notion de divinité telle que se la forge le croyant, et par le centre d'une sphère dont on ne connaîtrait que quelques parties de la surface :

Ainsi doit le mortel convaincu de son Dieu dont il conçoit les attributs qu'il forme par négations successives des défauts et des maux qu'il trouve dans le monde ressentir la présence et l'absence essentielles de Celui qui lui est aussi nécessaire que le Centre l'est à une sphère impénétrable, que l'on finit par reconnaître *sphère* à force d'en explorer la surface et de raisonner sur les liaisons de ses points. (*C*, XXV, 619)

Par son caractère déduit et négatif, aussi bien que par sa plénitude maximale et son extrême densité, le chef-d'œuvre parfait n'est pas sans évoquer un noyau d'anti-matière [37] :

Labeur, souffrances, événements, douceurs ou glaives d'une vie, espoirs surtout, mais désespoirs aussi, nuits sans sommeil, amis charmants, femmes réelles, heures, jours [...] et tant d'années — il fallait, il fallut tout cela, et le dégoût ou le dédain ou le regret ou le remords, et le mélange et le refus de tout cela pour que se creuse dans la masse d'existence et d'expériences confondues et fondues : ce noyau, merveille, à coup de *négations* finalement chef-d'œuvre insupportable et le triomphe de l'impossible pur !...   (*C*, **XXV**, 619)

C'est là, imperceptiblement teinté d'un sourire, le langage d'un mystique de la perfection poétique éternellement inaccessible.

conclusions

Au terme de cet inventaire commenté des images par lesquelles Valéry a représenté les mécanismes de production et de consommation des œuvres poétiques, il convient de noter quelques-unes des considérations d'ordre général qu'on peut faire sur la quantité, la nature et le sens de ces images.

On en constate de prime abord le nombre très élevé. Comme tous les poètes modernes — et plus que tous peut-être — l'auteur de « La Pythie » a fait de l'acte poétique un sujet de poème. À la limite on pourrait voir dans toutes les poésies de Valéry des illustrations de la conception de l'auteur sur son propre art.

On remarque ensuite, en même temps que la diversité des domaines auxquels les analogies sont empruntées — règnes minéral, végétal et animal, mythologie gréco-latine, arts et sciences —, des exclusives et des prédilections, également significatives.

Les occupations agricoles et patriarcales, la Bible, sources où les Romantiques ont largement puisé pour figurer le Poète et sa mission, n'offrent pratiquement aucun symbole similaire à Paul Valéry, qui ne fait que de fugitives allusions à la culture des roses ou de la vigne. Aucun « *pasteur de mots et berger des images* » [38], aucun semeur ou moissonneur évangélique dans l'œuvre de Valéry, pas une seule représentation biblique du Poète créateur, puisque le Démiurge auquel se compare Eupalinos n'est pas le Jéhovah judéo-chrétien, et Méphistophélès de « *"Mon Faust"* » n'incarne pas le Poète révolté.

En échange, le barde valéryen fait assez souvent des chasses dans sa « forêt sensuelle » ou dans la « forêt enchantée du Langage », où il se métamorphose parfois en oiseleur ou en araignée.

Bien qu'il n'ait presque rien tiré des travaux des champs, Valéry s'est complu à s'identifier avec la plante, mais avec « une plante qui pense », notamment avec l'arbre qui « médite », même si *méditer* signifie en l'occurrence « s'approfondir dans l'ordre », même si c'est la vie en lui, une vie intelligente, qui calcule et forme des structures ayant chacune sa fonction précise : racine, branches, feuilles, fleurs, fruits.

Cependant, le domaine qui lui fournit le plus grand nombre de métaphores du phénomène poétique, c'est le domaine des arts : la musique, l'architecture, la sculpture, la joaillerie-orfèvrerie, la danse. La peinture y est assez peu représentée, à moins qu'on ne considère les reflets, la transparence et la réfringence de l'eau ou du diamant comme des métaphores picturales.

Dans le domaine des arts ce sont surtout les mythes helléniques traditionnels (Narcisse, Orphée, Amphion, Memnon, Pygmalion, Zeus, Phénix...) ou imaginés *ad hoc* (l'architecte Eupalinos, la danseuse Athikté, le bricoleur insulaire Robinson...) qui ont permis à l'auteur de développer les analogies jusqu'à des aspects dont on ne s'était pas avisé avant lui.

Mais c'est particulièrement dans les « similitudes

amies » qu'il découvre dans diverses technologies et sciences exactes (mathématiques, physiques, chimiques) que Valéry fait preuve d'originalité.

Parmi les « sourires jumeaux » qu'il a notés dans ce dernier domaine, nous rappelons ici en vrac : les nombres complexes de la géométrie, analogues aux mots du poème, eux aussi quantités complexes à deux variables indépendantes, la variable phonique et la variable sémantique ; la relation ou la fonction symétrique fondamentale du discours poétique — définition du rôle de la métaphore ; la « photopoétique », qui assimile les scintillations interlexicales du poème à la luminescence des particules infinitésimales de matière ; la « télémécanique », propriété constructive de la poésie, comme d'autres « actions à distance », telle l'induction, la résonance et la force du champ magnétique ; la cristallisation, le métabolisme, l'oscillation pendulaire, le circuit fermé des rayons de lumière à travers la masse transparente d'un diamant parfaitement taillé, la récupération du moule, la nég-entropie ou l'anti-entropie spirituelle du poème.

Il est à remarquer que les analogies tirées des sciences ou des techniques ne se rencontrent que dans la prose de Valéry, jamais dans ses vers, à l'exception peut-être de la dernière strophe d'« Aurore ».

Comment s'expliquer cette retenue chez un poète qui l'avait justement reprochée aux Romantiques : « *Les Romantiques, tout contemporains qu'ils étaient des Ampère et des Faraday, ignoraient aisément les sciences, ou les dédaignaient ; ou n'en retenaient que ce qui s'y trouve de fantastique. Leurs esprits se cherchaient un asile dans un moyen âge qu'ils se forgeaient ; fuyaient le chimiste dans l'alchimiste.* » (II, 1022). Or Valéry lui-même, qui avait repris autodidactiquement l'étude des mathématiques supérieures, qui connaissait la théorie de Maxwell et le livre *Science et Hypothèse* de Poincaré, qui avait été l'ami de Louis de Broglie et s'était entretenu avec Einstein et Paul Langevin, Valéry, « poète de l'Intelligence », passionné de « travail mental » et au courant de toutes les nouvelles inventions, n'a pas laissé de poème consacré à une des grandes découvertes des sciences contemporaines comme on eût été en droit de s'y attendre. Aura-t-il craint les écueils de l'abstraction ou du prosaïsme qui avaient fait échouer les tentatives d'un André Chénier ou d'un Sully-Prudhomme ? Cependant les réussites incontestables de *La Jeune Parque* et des trois « dialogues », sur l'architecture, sur la danse et sur l'arbre, prouvent que Valéry a eu tort de n'avoir pas osé davantage.

Mais revenons à l'essentiel de nos conclusions. Tout en devant renoncer à une image typique du Poète-selon-Valéry, espèce de portrait-robot que l'on obtiendrait par la surimpression des images particulières relevées par notre enquête — quelle figure résulterait de la superposition du Narcisse, du Citharède, de l'Arbre, de la Pythie, de l'Araignée... ? — il nous reste cependant à en dégager les sémantèmes les plus constants ou les plus saillants.

Suivant Valéry, le Moi, seule réalité que l'on puisse connaître sans médiation, est l'unique matière de réflexion intellectuelle ou artistique. Tout poète ou penseur est un Narcisse. L'eau et la lumière — la parole et la raison ? — sont les instruments de sa connaissance et de son art. L'eau est parfois miroir plus ou moins fidèle, parfois transparence transfigurante, aux reflets du prisme ou du mirage. La lumière est tantôt égale et continue, comme dans le macrocosme, tantôt instantanée et discontinue, comme dans le monde infiniment petit.

« *Énergie qui se dépense à répondre à ce qui est* » (II, 547), la poésie est également une réaction sonore à tout ce qui frôle ou frappe le moi. Le poète élabore cette réaction jusqu'à en faire une musique savante, aux effets quasi magiques sur l'esprit des hommes et donc sur leurs actes.

Cependant le poème, conçu comme une machinerie faite de mots qui chantent, n'a pas de but extérieur à lui-même. L'esprit de celui qui l'écoute — tout comme celui qui l'a « monté » — oscille indéfiniment entre le son et le sens — les deux parties de l'appareil —, ne trouvant d'autre échappatoire à ce que suscite en lui le son que le sens du poème, et *vice versa*. De même, dans un diamant magistralement taillé, un faisceau de lumière qui y pénètre par une des facettes ne peut en sortir que par la même facette.

Il arrive que certaines ondes qui se heurtent contre le poète, au lieu de se laisser purement refléter par son moi ou de le faire vibrer harmonieusement, le blessent, lui font mal. Alors l'image reflétée s'altère et s'évanouit, les gestes deviennent convulsifs, le chant se fait cri. Valéry n'aime pas ce genre de poésie. Il n'admet que la douleur brève et nette d'une piqûre superficielle qui lui soit à la fois stimulant et preuve dans ses acquisitions. S'il y a bien des souffrances inhérentes à l'exercice passionné d'un art, ce n'est pas Valéry qui exaltera le « martyre » de l'artiste, en dépit de la concession qu'il fait à ce lieu commun dans *Amphion*.

Tout aussi conventionnelle que cette concession au cliché du sacrifice expiatoire paraît être l'allusion à l'aspect d'offrande généreuse dans la représentation du fruit-poème. En fait l'arbre symbolique ne croît, ne bruit, ne fructifie que pour se constituer lui-même et se multiplier à l'infini.

La création d'un poème, ainsi que la maturation d'un fruit, est à tout moment attente intense et désir sélectif, agissant comme un aimant sur les grains de poésie mêlés à une poussière sans valeur.

Pour capturer la poésie, métamorphosée en gibier vivant, le poète se fait chasseur ou, mieux encore, araignée, postée au milieu d'un tissu piégé, dont elle a, elle-même, sécrété et ourdi les fils — image éminemment structurale et, avant la lettre, structuraliste.

En effet, selon Valéry, la poésie est surtout construction. Le poète est donc comparable au démiurge des vieilles cosmogonies, à l'architecte, au statuaire, à l'ingénieur constructeur de machines langagières mises en mouvement par le « feu » poétique, à l'orfèvre-bijoutier doublé d'un mineur, et même à un bricoleur solitaire, s'évertuant à sauver quelques épaves inestimables.

Parmi les arts qui pourraient figurer la poésie, les préférences de Valéry vont vers les arts les plus décantés de résidus « réalistes » ou utilitaires, les plus stylisés et les plus codifiés. On sait qu'il rêvait de poèmes dramatiques où tout ne fût que rituel et symbole, comme dans les liturgies ou dans l'ancien théâtre extrême-oriental, le Nô japonais, par exemple.

Si les métaphores « magie » ou « alchimie » ne dépassent guère les dimensions de simples poncifs dans les lettres de jeunesse de l'auteur, par contre l'image du « jeu », « le plus déraisonnable des jeux » par le nombre et la difficulté des règles, l'image de « l'équitation », servant surtout à illustrer le travail préalable à la création proprement dite, et la « danse » sont employées à évoquer la composition et l'exécution du poème, tandis que la « fête », « fête de l'Intellect » aussi bien que des sens et des senti‑

ments, s'applique particulièrement à la jouissance poétique.

Après avoir ainsi réduit les images de la Poésie à quelques sémantèmes, il nous semble logique de finir par réduire aussi les sémantèmes à quelques sèmes ou à ce qui pourrait être leur plus petit dénominateur commun, un schéma de la poétique valéryenne, au risque de tomber dans la stéréotypie des manuels.

Le Poète de Valéry serait donc un homme qui, sous l'action d'une impression fortuite, d'un tronçon de rythme, d'une bribe d'émotion, d'idée ou d'ineffable, éprouve le besoin irrépressible de faire passer « ça » dans une combinaison de mots, dans un « discours poétique ». Pour ce faire, l'homme se dédouble en quelque sorte. Une moitié, faite de conscience calculatrice, désireuse et volontaire, se penche vers l'autre moitié, qu'il est loisible de concevoir comme une « profondeur » intime et obscure où dorment pêle-mêle ou s'agitent confusément tous les souvenirs et toutes les virtualités de l'être.

Penché sur cette seconde « moitié d'ombre » de lui-même que Valéry appelle *implexe* — puisque les termes « profondeur » et « inconscient », généralement employés à désigner cette région de l'esprit, lui semblent dénués de sens —, penché donc sur son implexe, qui n'obéit que très imparfaitement à la moitié lucide de lui-même, l'homme en mal de chansons de l'ineffable n'a que la ressource de guetter les trésors cachés de cet implexe, de les faire surgir et de les attirer à lui magnétiquement, par la force de son désir, afin de les employer à l'agencement de ce qui sera son poème.

Des métaphores comme *implexe* et *magnétiquement* révèlent que malgré son allergie à toute trace de sentimentalisme, d'irrationnel et de métaphysique, Valéry n'a pu passer sous silence ce qu'il a trouvé au bout de ses analyses les plus poussées du phénomène poétique, ce facteur inanalysable, inexplicable, « plus fort que tout », ce « terrible résonateur », que, dans ses dernières notes, il se résigne à nommer, faute de mieux, le « cœur ».

1. Notons seulement « Paradoxe sur l'Architecte », dans *L'Ermitage*, II⁰ an., n⁰ 3, mars 1891, et « Eupalinos ou L'Architecte », publié d'abord en guise de préface à l'album de SUE et MARE, *Architectures*, paru en 1921.

2. « Orphée », notamment, dont la première variante a paru dans *La Conque*, III⁰ livraison, 1ᵉʳ mai [1891], et « Amphion », publié d'abord dans *Commerce*, XXVII, Printemps 1931. (D'après les notes de *Œ*, I, 1540 et 1707.)

3. Voir I, 1321.

4. Voir I, 212, 1353.

5. Voir I, 1327.

6. Voir aussi : I, 649-50.

7. Stéphane MALLARMÉ, *Œuvres complètes* (Paris, Gallimard, « Bibl. de la Pléiade », 1970), p. 858.

8. *Ibid.*, p. 70.

9. Voir I, 658.

10. Lucien CORNIL, « À propos du langage », *Cahiers du Sud*, « Paul Valéry vivant », 1946, p. 225.

11. Ida-Marie FRANDON, « Le Modernisme de Valéry — expression littéraire et formulation scientifique », *Revue des Sciences humaines*, Fasc. 144, oct.—déc. 1971, pp. 506—8.

12. Jean-Paul WEBER, *Genèse de l'œuvre poétique* (Paris, Gallimard, 1960), pp. 418-9.

13. Alfred DE MUSSET, « À mon ami Édouard B. » (*Premières poésies*).

14. Alphonse DE LAMARTINE, « La Cloche », *Épîtres et Lettres familières* (Paris, Lemerre, 1885), t. IV, p. 240.

15. Victor HUGO, « À Louis B... », *Chants du crépuscule* (Paris, Ollendorff, 1909), t. II, pp. 278—84.

16. Charles BAUDELAIRE, « La Cloche fêlée », *Les Fleurs du mal* (*Œuvres complètes*, Paris, Gallimard, « Bibl. de la Pléiade », t. I, 1975), p. 71.

17. CHATEAUBRIAND, *Atala*, p.p. J.-M. Gautier (Genève, Droz, 1973), p. 122.

18. Théophile GAUTIER, *Poésies complètes* (Paris, Charpentier, 1919), t. II, p. 94.

19. BAUDELAIRE, éd. cit., p. 25.

20. LAMARTINE, « Le Chêne », vv. 111-112 (*Harmonies poétiques et religieuses*).

21. Voir I, 146.

22. Louis BOUILHET, « L'Oiseleur », *Dernières Chansons* (*Poésies complètes*, Paris, Lemerre, 1891), p. 363.

23. Georges POULET, *La Conscience critique* (Paris, Corti, 1971), p. 295.

24. Jules MICHELET, *L'Insecte* (Paris, Hachette, 1880), pp. 203—5.

25. Henri DE LATOUCHE, « *L'Or et la Rêverie* », *Adieu* (Paris, Imprimerie de Lacour, 1844), p. 328.

26. François COPPÉE, *Poésie* (Paris, Lemerre, 1892), p. 91.

27. Philippe BONNEFIS, Jean-Luc LEMICHEZ, Gérard FARASSE, « Y a-t-il des mots pour Francis Ponge ? », *Revue des Sciences humaines*, Fasc. 151, juill.—sept. 1973.

28. Dans « Une Représentation insolite du Poète : l'araignée » (*Studia Universitatis Babes-Bolyai*, Series Philologia, Fasc. 2, 1970), nous avons tenté une étude comparative de cette image chez Valéry et le poète roumain Tudor Arghezi.

29. Théophile GAUTIER, *Émaux et camées*, édition illustrée, p.p. M. Cottin (Paris, Lettres Modernes, 1968), pp. 119-20.

30. Théodore DE BANVILLE, « *À Olympio* », *Les Stalactites* (Paris, Didier, 1940), p. 430.

31. Cf. :
>   [...] *ma tête, fournaise où mon esprit s'allume,*
> *Jette le vers d'airain qui bouillonne et qui fume*
> *Dans le rhythme profond, moule mystérieux*
> *D'où sort la strophe ouvrant ses ailes dans les cieux ;*
>   « *Ce siècle avait deux ans... »*, *Les Feuilles d'automne*

(*Œuvres poétiques complètes*, p.p. F. Bouvet, Paris, Pauvert, 1961), p. 137.

32. Cf. aussi : « *Il faut traiter des tonnes de* blende *pour obtenir une particule de substance active.* » (I, 707).

33. Jean ONIMUS, *La Connaissance poétique* (Paris, Desclée De Brouwer, 1966), p. 192.

34. Paul CLAUDEL, « *La Maison fermée* », *Cinq Grandes Odes* (*Œuvre poétique*, p.p. J. Petit. Paris, Gallimard, « Bibl. de la Pléiade », 1967), p. 283.

35. MALLARMÉ, éd. cit., p. 40. Voir p. 1439 pour l'identification de cet « enfant » par Charles Mauron.

36. MALLARMÉ, éd. cit., p. 304.

37. Voir aussi N. BASTET, « Langage et fracture chez Valéry », p. 90 in *Paul Valéry contemporain* (Paris, Klincksieck, « Actes et colloques », n° 12, 1974).

38. Henri DE RÉGNIER, « *Le Laurier de Ronsard* » (*Œuvres*, vol. 7, Paris, Mercure de France, 1931), p. 49.

108

index

des images de la Poésie et du Poète employées par Paul Valéry. Les parenthèses indiquent les images dont il s'est servi pour rejeter certaines conceptions esthétiques.

table

ACHEVÉ D'IMPRIMER
LE 14 OCTOBRE 1977
PAR F. PAILLART
ABBEVILLE

SUR UNE TYPOGRAPHIE DE COMPO-SÉLECTION
PARIS

N° d'édition 2-252
N° d'impression : 4107
Dépôt légal : 4ᵉ trimestre 1977
Imprimé en France